Melhores Contos

LYGIA FAGUNDES TELLES

Direção de Edla van Steen

Melhores Contos

LYGIA FAGUNDES TELLES

Seleção de
Eduardo Portella

© **Lygia Fagundes Telles, 1983**
13ª Edição, Global Editora, São Paulo 2015
3ª Reimpressão, 2021

Jefferson L. Alves – diretor editorial
Gustavo Henrique Tuna – editor assistente
Flávio Samuel – gerente de produção
Flavia Baggio – coordenadora editorial
Deborah Stafussi – assistente editorial e revisão
Eduardo Okuno – projeto grafico
Studio10Artur/Shutterstock – foto de capa

Obra atualizada conforme o
NOVO ACORDO ORTOGRÁFICO DA LÍNGUA PORTUGUESA.

CIP-BRASIL. CATALOGAÇÃO NA FONTE
SINDICATO NACIONAL DOS EDITORES DE LIVROS, RJ

T275o

Telles, Lygia Fagundes, 1923-
Melhores contos / Lygia Fagundes Telles; seleção de Eduardo
Portella. – [13. ed.] – São Paulo: Global, 2015.
(Melhores contos)

ISBN 978-85-260-2212-6

1. Conto brasileiro. I. Título. II. Série.

15-23150
CDD: 869.3
CDU: 821.134.3(81)-3

global
Direitos Reservados

global editora e distribuidora ltda.
Rua Pirapitingui, 111 – Liberdade
CEP 01508-020 – São Paulo – SP
Tel.: (11) 3277-7999
e-mail: global@globaleditora.com.br

Colabore com a produção científica e cultural.
Proibida a reprodução total ou parcial desta obra
sem a autorização do editor.

Nº de Catálogo: **1506.POC**

Eduardo Portella é Bacharel em Ciências Jurídicas e Sociais pela Universidade Federal de Pernambuco (1955) e Doutor em Letras pela Universidade Federal do Rio de Janeiro (1970). Professor da Faculdade de Letras da UFRJ, tendo recebido o título de Professor Emérito em 2002. Foi Ministro da Educação, Cultura e Desportos do Brasil (1979-1980). Diretor--Geral para Programas da UNESCO (1988-1992). Foi Presidente da Conferência Geral da UNESCO (1997-1999) e idealizador e Presidente do Comitê Caminhos do Pensamento na UNESCO (1989-2008). É Membro da Academia Brasileira de Letras desde 1981 e da Academia Brasileira de Educação desde 1980. É Diretor da revista *Tempo Brasileiro*, Presidente do Colégio do Brasil/ORDECC e Diretor dos Anais da Academia Brasileira de Letras. É autor de várias obras nos campos da literatura, da educação, da crítica da cultura, da política, entre as quais se destacam a série *Dimensões*, *Teoria da Comunicação Literária*, *Democracia transitiva*, *O intelectual e o poder*, *Confluências*, *Vanguarda e cultura de massa*, *Literatura e realidade nacional*, *Retrato falado da educação brasileira*, *Brasil: condições de possibilidades*, *Homem, Cidade, Natureza*, *Jorge Amado: a sabedoria da fábula*, *México: guerra e paz* e *Fundamento da Investigação Literária*.

SUMÁRIO

As ficções da realidade 8
Verde lagarto amarelo..11
Apenas um saxofone 19
Antes do baile verde..27
Eu era mudo e só 35
As pérolas 42
Herbarium 51
Pomba enamorada ou uma história de amor 57
Seminário dos ratos 63
A confissão de Leontina 74
Missa do galo 105
A estrutura da bolha de sabão 113
A caçada...117
As formigas 122
Noturno amarelo.. 128
A presença 141
A mão no ombro 146
Biografia... 155

AS FICÇÕES DA REALIDADE

A narrativa de Lygia Fagundes Telles cresceu, sem necessitar se alongar. Cresceu por dentro. Embora tenha demonstrado indiscutível perícia no romance, é na história curta, no conto especificamente, que ela recorta o seu espaço muito especial. *Antes do Baile Verde* (1971), *Seminário dos Ratos* (1977), *A Estrutura da Bolha de Sabão* (1991), logo se antecipam em ilustrar essa primeira visão.

Talvez possa afirmar que aí se ergue um realismo imaginário, limitado ao norte pela agilidade textual, pela eletricidade discursiva, e ao sul por uma espécie de resistência subjetiva, difícil de ser encontrada nos tempos da modernidade avançada, quando se verifica o progressivo esfacelamento da vida interior. Esse perigo mais ou menos previsível, esse precipício latente, Lygia Fagundes Telles neutraliza, mediante sucessivos enlaces narrativos. A celebração interpessoal encarrega-se de evitar a mera reprodução do indivíduo insular, indiferente ao outro, e consequentemente vulnerável às armadilhas do isolamento. As suas personagens buscam incessantemente a parceria; reúnem-se, na esperança de uma construção solidária. Isso não quer dizer que facilmente se encontrem. Pelo contrário. A própria Lygia já batizou uma de suas coletâneas de contos de *Histórias do Desencontro*. E às vezes ficamos em dúvida se ela teria pensado em um título isolado ou imaginou, *misteriosamente*, uma legenda que cobrisse por inteiro o seu percurso ficcional. A verdade tensa, arriscada, que se debate, extravia-se, e volta a levantar-se, em meio a todas as ameaças, desconhece a paz dos ingênuos ou dos apenas frívolos. Alguma coisa que se metaforiza na solidão da menina do "Herbarium". A mesma que se reconheceu, com inesperado destemor: "Fui andando solene porque no bolso onde levara o amor levava agora a morte." A ficção deixa de representar o fictício para ser o real alçado a situações limites. A narradora opera essa instauração com extrema agudeza. Certamente porque sente e sabe a ficção como um modo de ser do real, o momento iluminado em que ele transborda, salta as interdições habituais, e abraça com intimidade o universo espesso da complexidade.

O complexo de relações que gera o texto, que conduz a língua à linguagem, tem tudo a ver com a rede de obstáculos com que se depara a vida do mundo. Provavelmente por isso a literatura de Lygia Fagundes Telles preferiu empreender a experiência dos limites, ou descrever a desolação visceral dos desencontros: de pessoas, de datas, de lugares, de enredos. Cada qual se constitui em uma ilha, "antes do baile verde". Mesmo assim é impossível viver sem o outro. Até sem o outro que morre. O próprio verde, que se irradia por toda a sua amplitude cromática, é uma cor limite. Desencontramo-nos a partir de uma fronteira, de um esforço inútil ou fracassado de aproximação. A divisa que separa é ainda o ponto de encontro possível. Por isso o tema da espera afirma-se agora enquanto condensação do acontecer.

As "ficções" de Lygia Fagundes Telles irrompem da realidade. Porque são reais, são fantásticas e verossímeis a uma só vez. Ela conseguiu transpor as limitações do realismo cartográfico, inabilitar a trapaça do naturalismo territorial, e deslindar "a estrutura da bolha de sabão". O real não é uma coisa acabada, toda coesa e compacta, porque dispõe de vários rostos, inúmeras máscaras. Dessa emanação plural emerge o que se tem chamado de realismo, tanto mais consistente quanto mais resistente às contrafações quantitativas da cultura publicitária, toda apressada em multiplicar os efeitos, as sensações simuladas, de suas emissões-omissões vertiginosas. A mesma que apregoa o hipertudo. Sem levar em conta que o pretenso hiper-realismo, desficcionalizado, o que significa dizer imobilizado, será sempre o menos-realismo. O real, porque se reparte com o homem, e comparte os mínimos gestos desta personagem inacabada, depende igualmente dos seus deuses, dos seus demônios, ou de suas fantasias (muito, ou pouco, turvados). É a lição que aprendemos, no "seminário dos ratos". E que nos é ministrada cuidadosamente, imune aos clássicos mecanismos de romantização. Porque a narradora, em que pese o seu esforço no sentido de recompor a unidade perdida, jamais cede à sobrevivente estetização da realidade.

O texto crispado, perceptivo por querer e saber, ironicamente trágico, mais o desenho afetuosamente preciso dos tipos que nele contracenam — heróis sem bravata —, instauram uma comunidade de sentidos, um incansável trabalho interativo. Já não o puro sentido da representação — sentido próprio e apropriativo —, mas a cumplicidade do desejo, a manifestação atilada de percepções diversas. São os caminhos do realismo imaginário, que Lygia Fagundes Telles vai desbravando com a "disciplina do amor".

Os contos aqui reunidos refazem ou refletem esse percurso: verticalmente. E confirmam o lugar grifado de Lygia Fagundes Telles.

Eduardo Portella

CONTOS

VERDE LAGARTO AMARELO

Ele entrou no seu passo macio, sem ruído, não chegava a ser felino: apenas um andar discreto. Polido.

— Rodolfo! Onde está você?... Dormindo? — perguntou quando me viu levantar da poltrona e vestir a camisa. Baixou o tom de voz. — Está sozinho?

Ele sabe muito bem que estou sozinho, ele sabe que sempre estou sozinho.

— Estava lendo.
— Dostoiévski?

Fechei o livro e não pude deixar de sorrir. Nada lhe escapava.

— Queria lembrar uma certa passagem... Só que está quente demais, acho que este é o dia mais quente desde que começou o verão.

Ele deixou a pasta na cadeira e abriu o pacote de uvas roxas.

— Estavam tão maduras, olha só que beleza — disse tirando um cacho e balançando-o no ar como um pêndulo. — Prova! Uma delícia.

Com um gesto casual, atirei meu paletó em cima da mesa, cobrindo o rascunho de um conto que começara naquela manhã.

— Já é tempo de uvas? — perguntei, colhendo um bago. Era enjoativo de tão doce mas se eu rompesse a polpa cerrada e densa, sentiria seu gosto verdadeiro. Com a ponta da língua pude sentir a semente apontando sob a polpa. Varei-a. O sumo ácido inundou-me a boca. Cuspi a semente: assim queria escrever, indo ao âmago do âmago até atingir a semente resguardada lá no fundo como um feto.

— Trouxe também uma coisa... Mostro depois.

Encarei-o. Quando ele sorria ficava menino outra vez. Seus olhos tinham o mesmo brilho úmido das uvas.

— Que coisa?

— Mas se eu já disse que é surpresa! Mostro depois.

Não insisti. Conhecia de sobra aquela antiga expressão com que vinha me anunciar que tinha algo escondido no bolso ou debaixo do travesseiro. Acabava sempre por me oferecer seu tesouro: a maçã, o cigarro, a revistinha pornográfica, o pacote de suspiros, mas antes ficava algum tempo me rondando com esse ar de secreto deslumbramento.

— Vou fazer um café — anunciei.

— Só se for para você, tomei há pouco na esquina.

Era mentira. O bar da esquina era imundo e para ele o café fazia parte de um ritual nobre, limpo. Dizia isso para me poupar, estava sempre querendo me poupar.

— Na esquina?

— Quando comprei as uvas...

Meu irmão. O cabelo louro, a pele bronzeada de sol, as mãos de estátua. E aquela cor nas pupilas.

— Mamãe achava que seus olhos eram cor de violeta.

— Cor de violeta?

— Foi o que ela disse à tia Débora, meu filho Eduardo tem os olhos cor de violeta.

Ele tirou o paletó. Afrouxou a gravata.

— Como é que são olhos cor de violeta?

— Cor de violeta — eu respondi abrindo o fogareiro.

Ele riu apalpando os bolsos do paletó até encontrar o cigarro.

— Meu Deus, tinha um canteiro de violetas no jardim de casa... Não eram violetas, Rodolfo?

— Eram violetas.

— E uma parreira, lembra? Nunca conseguimos um cacho maduro daquela parreira — disse amarfanhando com um gesto afetuoso o papel das uvas. — Até hoje não sei se eram doces. Eram doces?

— Também não sei, você não esperava amadurecer.

Vagarosamente ele tirou as abotoaduras e foi dobrando a manga da camisa com aquela arte toda especial que tinha de dobrá-la sem fazer rugas, na exata medida do punho. Os braços musculosos de nadador. Os pelos dourados. Fiquei a olhar as abotoaduras que tinham sido do meu pai.

— A Ofélia quer que você almoce domingo com a gente. Ela releu seu romance e ficou no maior entusiasmo, gostou ainda mais do que da primeira vez, você precisa ver com que interesse analisou as personagens, discutiu os detalhes...

— Domingo já tenho um compromisso — eu disse enchendo a chaleira de água.

— E sábado? Não me diga que sábado você também não pode.

Aproximei-me da janela. O sopro do vento era ardente como se a casa estivesse no meio de um braseiro. Respirei de boca aberta agora que ele não me via, agora que eu podia amarfanhar a cara como ele amarfanhava o papel. Esfreguei nela o lenço, até quando, até quando?!... E me trazia a infância, será que ele não vê que para mim foi só sofrimento? Por que não me deixa em paz, por quê? Por que tem que vir aqui e ficar me espetando, não quero lembrar nada, não quero saber de nada! Fecho os olhos. Está amanhecendo e o sol está longe, tem brisa na campina, cascata, orvalho gelado deslizando na corola, chuva fina no meu cabelo, a montanha e o vento, todos os ventos soprando. Os ventos! Vazio. Imobilidade e vazio. Se eu ficar assim imóvel, respirando leve, sem ódio, sem amor, se eu ficar assim um instante, sem pensamento, sem corpo...

— E sábado? Ela quer fazer aquela torta de nozes que você adora.

— Cortei o açúcar, Eduardo.

— Mas saia um pouco do regime, você emagreceu, não emagreceu?

— Ao contrário, engordei. Não está vendo? Estou enorme.

— Não é possível! Assim de costas você me pareceu tão mais magro, palavra que eu já ia perguntar quantos quilos você perdeu.

Agora a camisa se colava ao meu corpo. Limpei as mãos viscosas no peitoril da janela e abri os olhos que ardiam, o sal do suor é mais violento do que o sal das lágrimas. "Esse menino transpira tanto, meus céus! Acaba de vestir roupa limpa e já começa a transpirar, nem parece que tomou banho. Tão desagradável!..." Minha mãe não usava a palavra *suor* que era forte demais para seu vocabulário, ela gostava das belas palavras. Das belas imagens. Delicadamente falava em transpiração com aquela elegância em vestir as palavras como nos vestia. Com a diferença que Eduardo se conservava limpo como se estivesse numa redoma, as mãos sem poeira, a pele fresca.

Podia rolar na terra e não se conspurcava, nada chegava a sujá-lo realmente porque mesmo através da sujeira podia se ver que estava intacto. Eu não. Com a maior facilidade me corrompia lustroso e gordo, o suor a escorrer pelo pescoço, pelos sovacos, pelo meio das pernas. Não queria suar, não queria mas o suor medonho não parava de escorrer manchando a camisa de amarelo com uma borda esverdinhada, suor de bicho venenoso, traiçoeiro, malsão. Enxugava depressa a testa, o pescoço, tentava num último esforço salvar ao menos a camisa. Mas a camisa já era uma pele enrugada aderindo à minha com meu cheiro, com a minha cor. Era menino ainda mas houve um dia em que quis morrer para não transpirar mais.

— Na noite passada sonhei com nossa antiga casa — disse ele aproximando-se do fogareiro. Destapou a chaleira, espiou dentro. — Não me lembro bem mas parece que a casa estava abandonada, foi um sonho estranho...

— Também sonhei com a casa mas já faz tempo — eu disse.

Ele aproximou-se. Esquivei-me em direção ao armário. Tirei as xícaras.

— Mamãe apareceu no seu sonho? — perguntou ele.

— Apareceu. O pai tocava piano e mamãe...

Rodopiávamos vertiginosos numa valsa e eu era magro, tão magro que meus pés mal roçavam o chão, senti mesmo que levantavam voo e eu ria enlaçando-a em volta do lustre quando de repente o suor começou a escorrer, escorrer.

— Ela estava viva?

Seu vestido branco se empapava do meu suor amarelo-verde mas ela continuava dançando, desligada, remota.

— Estava viva, Rodolfo?

— Não, era uma valsa póstuma — eu disse colocando na frente dele a xícara perfeita. Reservei para mim a que estava rachada. — Está reconhecendo essa xícara?

Ele tomou-a pela asa. Examinou-a. Sua fisionomia se iluminou com a graça de um vitral varado pelo sol.

— Ah!... as xicrinhas japonesas. Sobraram muitas ainda?

O aparelho de chá, o faqueiro, os cristais e os tapetes tinham ficado com ele. Também os lençóis bordados, obriguei-o a aceitar tudo. Ele recusava, chegou a se exaltar, "Não quero, não é justo, não quero! Ou você fica com a metade ou então não aceito nada! Amanhã você pode se casar também..." Nunca, respondi. Moro só, gosto de tudo sem nenhum enfeite, quanto mais simples melhor. Ele parecia não ouvir uma só palavra enquanto ia amontoando os objetos em duas porções, "Olha, isto você leva que estava no seu quarto..." Tive que recorrer à violência. Se você teimar em me deixar essas coisas, assim que você virar as costas jogo tudo na rua! Cheguei a agarrar uma jarra, no meio da rua! Ele empalideceu, os lábios trêmulos. "Você jamais faria isso, Rodolfo. Cale-se, por favor, que você não sabe o que está dizendo." Passei as mãos na cara ardente. E a voz da minha mãe vindo das cinzas: "Rodolfo, por que você há de entristecer seu irmão? Não vê que ele está sofrendo? Por que você faz assim?!" Abracei-o. Ouça Eduardo, sou um tipo mesmo esquisito, você está farto de saber que sou meio louco. Não quero, não sei explicar mas não quero, está me entendendo? Leve tudo à Ofélia, presente meu. Não posso dar a vocês um presente de casamento? Para não dizer que não fico com nada, olha... está aqui, pronto, fico com essas xícaras!

— Fina como casca de ovo — disse ele batendo com a unha na porcelana. — Ficavam na prateleira do armário rosado, lembra? Esse armário está na nossa saleta.

Despejei água fervente na caneca. O pó de café foi se diluindo resistente, difícil. Minha mãe. Depois, Ofélia. Por que não haveria de ficar também com os lençóis?

— E Ofélia? Para quando o filho?

Ele apanhou a pilha de jornais velhos que estava no chão, ajeitou-a cuidadosamente e esboçou um gesto de procura, devia estar sentindo falta de um lugar certo para serem guardados os jornais já lidos. Teve uma expressão de resignado bom humor, mas então a desordem do apartamento comportava um móvel assim supérfluo? Enfiou a pilha na prateleira da estante e voltou-se para mim. Ficou me seguindo com o olhar enquanto eu procurava no armário debaixo da pia a lata onde devia estar o açúcar. Uma barata fugiu atarantada, escondendo-se debaixo de uma tampa de panela e logo uma outra maior se despencou não sei de onde e tentou também o mesmo esconderijo. Mas a fresta era estreita e ela mal conseguiu esconder a cabeça, ah, o mesmo humano desespero na procura de um abrigo. Abri a lata de açúcar e esperei que ele dissesse que havia um novo sistema de acabar com as baratas, era facílimo, bastava chamar pelo telefone e já aparecia o homem de farda cáqui e bomba em punho e num segundo pulverizava tudo. Tinha em casa o número do telefone, nem baratas nem formigas.

— No próximo mês, parece. Está tão lépida que nem acredito que esteja nas vésperas — disse ele me contornando pelas costas. Não perdia um só dos meus movimentos. — E adivinha agora quem vai ser o padrinho.

— Que padrinho?

— Do meu filho, ora!

— Não tenho a menor ideia.

— Você.

Minha mão tremia como se ao invés de açúcar eu estivesse mergulhando a colher em arsênico. Senti-me infinitamente mais gordo. Mais vil. Tive vontade de vomitar.

— Não faz sentido, Eduardo. Não acredito em Deus, não acredito em nada.

— E daí? — perguntou ele, servindo-se de mais açúcar ainda. Atraiu-me quase num abraço. —- Fique tranquilo, eu acredito por nós dois.

Tomei de um só trago o café amargo. Uma gota de suor pingou no pires. Passei a mão pelo queixo. Não pudera ser pai, seria padrinho. Não era ser amável? Um casal amabilíssimo. A pretexto de aquecer o café, fiquei de costas e então esfreguei furtivamente o pano de prato na cara.

— Era essa a surpresa? — perguntei e ele me olhou com inocência. Repeti a pergunta: — A surpresa! Quando chegou você disse que...

— Ah! não, não! Não é isso não — exclamou e riu apertando os olhos que riam também com uma ponta de malícia. — A surpresa é outra. Se der certo, Rodolfo, se der certo!... Enfim, você é quem vai decidir. Ponho nas suas mãos.

Era exatamente a expressão da minha mãe quando vinha me preparar para uma boa notícia. Rondava, rondava e ficava me observando reticente, saboreando o segredo até o momento em que não resistia mais e contava. A condição era invariável: "Mas você vai me prometer que não vai comer nenhum doce durante uma semana, só uma semana!"

E se ele fosse morar longe? Podia tão bem se mudar de cidade, viajar. Mas não. Precisava ficar por perto, sempre em redor, me olhando. Desde pequeno, no berço já me olhava assim. Não precisaria me odiar, eu nem pediria tanto, bastava me ignorar, se ao menos me ignorasse. Era bonito, inteligente, amado, conseguiu sempre fazer tudo muito melhor do que eu, muito melhor do que os outros, em suas mãos as menores coisas adquiriam outra importância, como que se renovavam. E então? Natural que esquecesse o irmão obeso, malvestido, malcheiroso. Escritor, sim, mas nem aquele tipo de escritor de sucesso, convidado para festas, dando entrevistas na televisão: um escritor de cabeça baixa e calado, abrindo com as mãos em garra seu caminho. Se ao menos ele... mas não, claro que não, desde menino eu já estava condenado ao seu fraterno amor. Às vezes me escondia no porão, corria para o quintal, subia na figueira, ficava imóvel, um lagarto no vão do muro, pronto, agora não vai me achar. Mas ele abria portas, vasculhava armários, abria a folhagem e ficava rindo por entre lágrimas. Engatinhava ainda quando saía à minha procura, farejando meu rastro. "Rodolfo, não faça seu irmãozinho chorar, não quero que ele fique triste!" Para que ele não ficasse triste, só eu soube que ela ia morrer. "Você já é grande, você deve saber a verdade — disse meu pai olhando reto nos meus olhos. — É que sua mãe não tem nem... — Não completou a frase. Voltou-se para a parede e ali ficou de braços cruzados, os ombros curvos. — Só eu e você sabemos. Ela desconfia mas de jeito nenhum quer que seu irmãozinho saiba, está entendendo?" Eu entendia. Na sua última festa de aniversário ficamos reunidos em redor da cama. "Laura é como o rei daquela história — disse meu pai, dando-lhe de beber um gole de vinho. — Só que ao invés de transformar tudo em ouro, quando toca nas coisas, transforma tudo em beleza." Com os olhos cozidos de tanto chorar, ajoelhei-me e fingindo arrumar-lhe o travesseiro, pousei a cabeça ao alcance da sua mão, ah, se me tocasse com um pouco de amor. Mas ela só via o broche, um caco de vidro que Eduardo achou no quintal e enrolou em fiozinhos de arame formando um casulo, "Mamãezinha querida, eu que fiz para você!" Ela beijou o broche. E o arame ficou sendo prata e o caco de garrafa ficou sendo esmeralda. Foi o broche que lhe fechou a gola do vestido. Quando me despedi, apertei sua mão gelada contra minha boca, e eu, mamãe, e eu?...

— Esqueci de oferecer biscoitos, olha aí, você gosta — eu disse tirando a lata do armário.

— É sua empregada quem faz?

— Minha empregada só vem uma vez por semana, comprei na rua — acrescentei e lancei-lhe um olhar. Que surpresa era essa agora? O que é que eu devia decidir? Eu devia decidir, ele disse. Mas o quê?... Interpelei-o: — Que é que você está escondendo, Eduardo? Não vai me dizer?

Ele pareceu não ter ouvido uma só palavra. Quebrou a cinza do cigarro, soprou o pouco que lhe caiu na calça e inclinou-se para os biscoitos.

— Ah!... rosquinhas. Ofélia aprendeu a fazer sequilhos no caderno de receitas da mamãe, mas estão longe de ser como aqueles.

Ele comia sequilhos quando entrei no quarto. Ao lado, a caneca de chocolate fumegante. Eu tinha tomado chá. Chá. Dei uma volta em redor dele. O Júlio já está na esquina esperando, avisei. Veio me dizer que tem que ser agora. Ele então se levantou, calçou a sandália, tirou o relógio de pulso e a correntinha do pescoço. Dirigiu-se para a porta com uma firmeza que me espantou. Vi-o ensanguentado, a roupa em tiras. Você é menor, Eduardo, você vai apanhar feito cachorro! Ele abriu os braços. "E daí? Quer que a turma me chame de covarde?" Sentei-me na cadeira onde ele estivera e ali fiquei encolhido, tomando o chocolate e comendo sequilhos. Tinha a boca cheia quando ouvi a voz da minha mãe chamando: "Rodolfo, Rodolfo!" Agora ela o carregava em prantos, tentando arrancar-lhe o canivete enterrado no peito até o cabo.

— Procurei seu romance em duas livrarias e não encontrei, queria dar a uns amigos. Está esgotado, Rodolfo? O vendedor disse que vende demais.

— Exagero. Talvez se esgote mas não já.

A boca cheia de sequilhos e o suor escorrendo por todos os poros, escorrendo. A voz da minha mãe insistiu enérgica: "Rodolfo, você está me ouvindo? Onde está o Eduardo?!" Entrei no quarto dela. Estava deitada, bordando. Assim que me viu, sua fisionomia se confrangeu. Deixou o bordado e ficou balançando a cabeça. "Mas filho, comendo de novo?! Quer engordar mais ainda? Hum?... — Suspirou, dolorido. — Onde está seu irmão?" Encolhi os ombros. Não sei, não sou pajem dele. Ela ficou me olhando. "Essa é maneira de me responder, Rodolfo? Hein?!..." Desci a escada comendo o resto dos sequilhos que escondi nos bolsos. O silêncio me seguiu descendo a escada degrau por degrau, colado ao chão, viscoso, pesado. Parei de mastigar. E de repente me precipitei pela rua afora, eu o queria vivo, o canivete não! Encontrei-o sentado na sarjeta, a camisa rasgada, um arranhão fundo na testa. Sorriu palidamente. Ofegava. Júlio tinha acabado de fugir. Cravei o olhar no seu peito. Mas ele não usou o canivete? — perguntei. Apoiando-se na árvore, levantou-se com dificuldade, tinha torcido o pé. "Que canivete?..." Baixando a cabeça que latejava, inclinei-me até o chão. Você não pode andar, eu disse apoiando as mãos nos joelhos. Vamos, monta em mim. Ele obedeceu. Estranhei, era tão magro, não era? Mas pesava como chumbo. O sol batia em cheio em nós enquanto o vento levantava as tiras da sua camisa rasgada. Vi nossa sombra no muro, as tiras se abrindo como asas. Enlaçou-me mais fortemente, encostou o queixo no meu ombro e teve um breve soluço, "Que bom que você veio me buscar..."

— Seu novo romance? — perguntou ele na maior excitação. Encontrara o rascunho em cima da mesa. — Posso ler, Rodolfo? Posso?
Tirei-lhe as folhas das mãos e fechei-as na gaveta. Era o que me restara, escrever. Será possível que ele também?...
— Não, não é possível, Eduardo — eu disse, tentando abrandar a voz. — Está tudo muito no início, trabalho mal no calor — acrescentei meio distraidamente. Olhei para sua pasta na cadeira e adivinhei a surpresa. Senti meu coração se fechar como uma concha. A dor era quase física. Olhei para ele. Você escreveu um romance. É isso? Os originais estão na pasta... É isso?
Ele então abriu a pasta.

APENAS UM SAXOFONE

Anoiteceu e faz frio. *"Merde! voilà l'hiver"*, é o verso que segundo Xenofonte cabe dizer agora. Aprendi com ele que palavrão em boca de mulher é como lesma em corola de rosa. Sou mulher, logo, só posso dizer palavrão em língua estrangeira, se possível, fazendo parte de um poema. Então as pessoas em redor poderão ver como sou autêntica e ao mesmo tempo erudita. Uma puta erudita, tão erudita que se quisesse podia dizer as piores bandalheiras em grego antigo, o Xenofonte sabe grego antigo. E a lesma ficaria irreconhecível como convém a uma lesma numa corola de quarenta e quatro anos. Quarenta e quatro anos e cinco meses, meu Jesus. Foi rápido, não? Rápido. Mais seis anos e terei meio século, tenho pensado muito nisso e sinto o próprio frio secular que vem do assoalho e se infiltra no tapete. Meu tapete é persa, todos os meus tapetes são persas mas não sei o que fazem esses bastardos que não impedem que o frio se instale na sala. Fazia menos frio no nosso quarto, com as paredes forradas de estopa e o tapetinho de juta no chão, ele mesmo forrou as paredes e pregou retratos de antepassados e gravuras da Virgem de Fra Angelico, tinha paixão por Fra Angelico.

  Onde agora? Onde? Podia mandar acender a lareira mas despedi o copeiro, a arrumadeira, o cozinheiro — despedi um por um, me deu um desespero e mandei a corja toda embora, rua, rua! Fiquei só. Há lenha em algum lugar da casa mas não é só riscar o fósforo e tocar na lenha como se vê no cinema, o japonês ficava horas aí mexendo, soprando até o fogo acender. E eu mal tenho forças de acender o cigarro. Estou aqui sentada faz não sei quanto tempo. Desliguei o telefone, me enrolei na manta, trouxe a garrafa de uísque e estou aqui bebendo bem devagarinho para não ficar de porre, hoje não, hoje quero ficar lúcida, vendo uma coisa, vendo outra. E tem coisa à beça para ver tanto por dentro como por fora, ainda mais por fora, uma porrada de coisas que comprei no mundo inteiro, coisas que nem sabia que tinha e que só vejo agora, justo agora que está escuro. É que fomos escurecendo juntas, a sala e eu. Uma sala de uma burrice atroz, afetada, pretensiosa. E sobretudo rica, exorbitando de riqueza, abri um saco de ouro para o decorador se esbaldar nele. E se esbaldou mesmo, o viado. Chamava-se Renê e chegava logo cedinho com suas telas, veludos, musselinas, brocados, "Trouxe hoje para o sofá um pano que veio do Afeganistão, completamente divino! Di-vino!" Nem o pano era do Afeganistão nem ele era tão viado assim, tudo mistificação, cálculo. Surpreendi-o certa vez sozinho, fumando perto da janela, a expressão fatigada de um ator que já está farto de representar. Assustou-se quando me viu, foi como se o tivesse apanhado em flagrante roubando um talher de prata. Então retomou o gênero borbulhante e saiu se rebolando todo para me mostrar o oratório, um oratório falsamente antigo, tudo feito há três dias mas com furinhos na madeira imitando caruncho de três séculos. "Este anjo só pode ser do Aleijadinho, veja as bochechas! E os olhos de cantos caídos, um nadinha estrábicos..." Eu concordava no mesmo tom histérico, embora soubesse perfeitamente que o Aleijadinho teria que ter mais de dez braços para conseguir fazer tanto anjo assim, a casa da Madô também tem milhares deles, todos autênticos, "Um nadinha estrábicos", repetiu ela com a voz em falsete de Renê. Bossa colonial de grande luxo. E eu sabendo que estava sendo enganada e não me importando, ao contrário, sentindo um agudo prazer em comer gato por lebre. Li ontem que já estão comendo ratos em Saigon e li ainda que já não há mais borboletas por lá, nunca mais haverá a menor borboleta... Desatei então a chorar feito louca, não sei se por causa das borboletas ou dos ratos. Acho que nunca bebi tanto como ultimamente e quando bebo assim fico sentimental, choro à toa. "Você precisa se cuidar", Renê disse na noite em que ficamos de fogo, só agora penso nisso que ele me disse, por que devo me cuidar, por quê? Contratei-o para fazer em seguida a decoração da casa de campo, "Tenho os móveis ideais para essa sua casa", ele avisou e eu comprei os móveis ideais, comprei tudo, compraria até a peruca de Maria Antonieta com todos os seus labirintos feitos pelas traças e mais a poeira pela qual não me cobraria nada, simples contribuição do tempo, é claro. É claro.

Onde agora? Às vezes eu fechava os olhos e os sons eram como voz humana me chamando, me envolvendo, Luisiana, Luisiana! Que sons eram aqueles? Como podiam parecer voz de gente e serem ao mesmo tempo tão mais poderosos, tão puros. E singelos como ondas se renovando no mar, aparentemente iguais, só aparentemente. "Este é o meu instrumento", disse ele deslizando a mão pelo saxofone. Com a outra mão em concha, cobriu meu peito: "e esta é a minha música."

Onde, onde? Olho meu retrato em cima da lareira. "Na lareira tem que ficar seu retrato", determinou Renê num tom autoritário, às vezes ele era autoritário. Apresentou-me seu namorado, pintor, pelo menos me fazia crer que era seu namorado porque agora já não sei mais nada. E o efebo de caracóis na testa me pintou toda de branco, uma Dama das Camélias voltando do campo, o vestido comprido, o pescoço comprido, tudo assim esgalgado e iluminado como se eu tivesse o próprio anjo tocheiro da escada aceso dentro de mim. Tudo já escureceu na sala menos o vestido do retrato, lá está ele diáfano como a mortalha de um ectoplasma pairando suavíssimo no ar. Um ectoplasma muito mais jovem do que eu, sem dúvida o puxa-saco do efebo era suficientemente esperto para imaginar como eu devia ser aos vinte anos. "Você no retrato parece um pouco diferente, concedeu ele, mas o caso é que não estou pintando só seu rosto", acrescentou muito sutil. Queria dizer com isso que estava pintando minha alma. Concordei na hora, fiquei até comovida quando me vi de cabeleira elétrica e olhos vidrados. "Meu nome é Luisiana, me diz agora o ectoplasma. Há muitos anos mandei embora o meu amado e desde então morri."

Onde?... Tenho um iate, tenho um casaco de visom prateado, tenho uma coroa de diamantes, tenho um rubi que já esteve incrustado no umbigo de um xá famosíssimo, até há pouco eu sabia o nome desse xá. Tenho um velho que me dá dinheiro, tenho um jovem que me dá gozo e ainda por cima tenho um sábio que me dá aulas sobre doutrinas filosóficas com um interesse tão platônico que logo na segunda aula já se deitou comigo, vinha tão humilde, tão miserável com seu terno de luto empoeirado e botinas de viúvo que fechei os olhos e me deitei, Vem, Xenofonte, vem. "Não sou Xenofonte, não me chame de Xenofonte", ele me implorou e seu hálito tinha o cheiro recente de pastilhas Valda, era Xenofonte, nunca houve ninguém tão Xenofonte quanto ele. Como nunca houve uma Luisiana tão Luisiana como eu, ninguém sabe desse nome, ninguém, nem o cáften do meu pai que nem esperou eu nascer para ver como eu era, nem a coitadinha da minha mãe que não viveu nem para me registrar. Nasci naquela noite na praia e naquela noite recebi um nome que durou enquanto durou o amor. Outra madrugada, quando enchi a cara e fui falar com meu advogado para não pôr no meu túmulo outro nome senão esse, ele deu aquela risadinha execrável, "Luisiana? Mas por que Luisiana? De onde você tirou esse nome?" Controlou-se para não me chacoalhar por tê-lo acordado aquela hora, vestiu-se e muito polidamente me trouxe para casa, "Como queira, minha querida, você manda!" E deu sua risadinha, enfim, uma puta bêbada mas rica tem o direito de botar no túmulo o nome que bem entender, foi o que provavelmente pensou. Mas já não me importo com o que pensa, ele e mais a cambada toda que me cerca, opinião alheia é este tapete, este lustre, aquele retrato. Opinião alheia é esta casa com os santos varados por mil cargas.

Mas antes eu me importava e como. Por causa dessa opinião tenho hoje um piano de calda, tenho um gato siamês com uma argola na orelha, tenho uma chácara com piscina e nos banheiros, papel higiênico com florinhas douradas que o velho trouxe de Nova York junto com o estojo plástico que toca uma musiquinha enquanto a gente vai desenrolando o papel, *"Oh! my last Rose of Summer!..."* Quando me deu os rolos, deu também os potes de caviar, "É preciso dourar a pílula", disse rindo com sua grossura habitual, é um grosso sem remédio, se não cuspisse dólar eu já o teria mandado para aquela parte com seus tacos de golfe e cuecas perfumadas com lavanda. Tenho sapato com fivela de diamante e um aquário com uma floresta de coral no fundo, quando o velho me deu a pérola, achou originalíssimo escondê-la no fundo do aquário e me mandar procurar: "Está ficando quente, mais quente. Não, agora esfriou!..." E eu me fazia menininha e ria quando minha vontade mesmo era dizer-lhe que enfiasse a pérola no rabo e me deixasse em paz. Me deixa em paz! ele, o jovem ardente com todos os seus ardores, Xenofonte com seu hálito de hortelã — enxotar todos como fiz com a criadagem, todos uns sacanas que mijam no meu leite e se torcem de rir quando fico para cair de bêbada.

Onde, meu Deus? Onde agora? Tenho também um diamante do tamanho de um ovo de pomba. Trocaria o diamante, o sapato de fivela, o iate — trocaria tudo, anéis e dedos, para poder ouvir um pouco que fosse a música do saxofone. Nem seria preciso vê-lo, juro que nem pediria tanto, eu me contentaria em saber que ele estava vivo, vivo em algum lugar, tocando seu saxofone.

Quero deixar bem claro que a única coisa que existe para mim é a juventude, tudo o mais é besteira, lantejoulas, vidrilho. Posso fazer duas mil plásticas e não resolve, no fundo é a mesma bosta, só existe a juventude. Ele era a minha juventude mas naquele tempo eu não sabia, na hora a gente nunca sabe nem pode mesmo saber, fica tudo natural como o dia que sucede a noite, como o sol, a lua, eu era jovem e não pensava nisso como não pensava em respirar. Alguém por acaso fica atento ao ato de respirar? Fica, sim, mas quando a respiração se esculhamba. Então dá aquela tristeza, puxa, eu respirava tão bem...

Ele era a minha juventude, ele e seu saxofone que luzia como ouro. Seus sapatos eram sujos, a camisa despencada, a cabeleira um ninho, mas o saxofone estava sempre meticulosamente limpo. Tinha também mania com os dentes que eram de uma brancura que nunca vi igual, quando ele ria eu parava de rir só para ficar olhando. Trazia a escova de dentes no bolso e mais a fralda para limpar o saxofone, achou num táxi uma caixa com uma dúzia de fraldas Johnson's e desde então passou a usá-las para todos os fins: era o lenço, a toalha de rosto, o guardanapo, a toalha de mesa e o pano de limpar o saxofone. Foi também a bandeira de paz que usou na nossa briga mais séria, quando quis que tivéssemos um filho. Tinha paixão por tanta coisa...

A primeira vez que nos amamos foi na praia. O céu palpitava de estrelas e fazia calor. Então fomos rolando e rindo até as primeiras ondas que ferviam na areia e ali ficamos nus e abraçados na água morna como a de uma bacia. Preocupou-se quando lhe disse que não fora sequer batizada. Colheu a água com as mãos em concha e despejou na minha cabeça: "Eu te batizo, Luisiana, em nome do Padre, do Filho e do Espírito Santo. Amém." Pensei que ele estivesse brincando mas nunca o vi tão grave. "Agora você se chama Luisiana", disse me beijando a face. Perguntei-lhe se acreditava em Deus. "Tenho paixão por Deus", sussurrou deitando-se de costas, as mãos entrelaçadas debaixo da nuca, o olhar perdido no céu: "O que mais me deixa perplexo é um céu assim como este." Quando nos levantamos correu até a duna onde estavam nossas roupas, tirou a fralda que cobria o saxofone e trouxe-a delicadamente nas pontas dos dedos para me enxugar com ela. Aí pegou o saxofone, sentou-se encaracolado e nu como um fauno menino e começou a improvisar bem baixinho, formando com o fervilhar das ondas uma melodia terna. Quente. Os sons cresciam tremidos como bolhas de sabão, olha esta que grande! Olha esta agora mais redonda... ah, estourou! Se você me ama você é capaz de ficar assim nu naquela duna e tocar, tocar o mais alto que puder até que venha a polícia? eu perguntei. Ele me olhou sem pestanejar e foi correndo em direção à duna e eu corria atrás e gritava e ria, ria porque ele já tinha começado a tocar a plenos pulmões.

Minha companheira do curso de dança casou-se com o baterista de um conjunto que tocava numa boate, houve festa. Foi lá que o conheci. Em meio da maior algazarra do mundo a mãe da noiva se trancou no quarto chorando, "Veja em que meio a minha filha foi cair! Só vagabundos, só cafajestes!..." Deitei-a na cama e fui buscar um copo de água com açúcar mas na minha ausência os convidados descobriram o quarto e quando voltei os casais já tinham transbordado até ali, atracando-se em almofadas pelo chão. Pulei gente e sentei-me na cama. A mulher chorava, chorava até que aos poucos o choro foi esmorecendo e de repente parou. Eu também tinha parado de falar e ficamos as duas muito quietas, ouvindo a música de um moço que eu ainda não tinha visto. Ele estava sentado na penumbra, tocando saxofone. A melodia era mansa mas ao mesmo tempo tão eloquente que fiquei imersa num sortilégio. Nunca tinha ouvido nada parecido, nunca ninguém tinha tocado um instrumento assim. Tudo o que tinha querido dizer à mulher e não conseguira, ele dizia agora com o saxofone: que ela não chorasse mais, tudo estava bem, tudo estava certo quando existia o amor. Tinha Deus, ela não acreditava em Deus? — perguntava o saxofone. E tinha a infância, aqueles sons brilhantes falavam agora da infância, olha aí a infância!... A mulher parou de chorar e agora era eu que chorava. Em redor, os casais ouviam num silêncio fervoroso e suas carícias foram ficando mais profundas, mais verdadeiras porque a melodia também falava do sexo vivo e casto como um fruto que amadurece ao vento e ao sol.

Onde? Onde?... Levou-me para o seu apartamento, ocupava um minúsculo apartamento no décimo andar de um prédio velhíssimo, toda a sua fortuna era aquele quarto com um banheiro mínimo. E o saxofone. Contou-me que recebera o apartamento como herança de uma tia cartomante. Depois, num outro dia disse que o ganhara numa aposta e quando outro dia ainda começou a contar uma terceira história, interpelei-o e ele começou a rir, "É preciso variar as histórias, Luisiana, o divertido é improvisar que para isso temos imaginação! É triste quando um caso fica a vida inteira igual..." E improvisava o tempo todo e sua música era sempre ágil, rica, tão cheia de invenções que chegava a me afligir. Você vai compondo e vai perdendo tudo, você tem que tomar nota, tem que escrever o que compõe! Ele sorria. "Sou um autodidata, Luisiana, não sei ler nem escrever música e nem é preciso para ser um sax-tenor, sabe o que é um sax-tenor? É o que eu sou." Tocava num conjunto que tinha contrato com uma boate e sua única ambição era ter um dia um conjunto próprio. E ter uma vitrola de boa qualidade para ouvir Ravel e Debussy.

Nossa vida foi tão maravilhosamente livre! E tão cheia de amor, como nos amamos e rimos e choramos de amor naquele décimo andar, cercados de gravuras de Fra Angelico e retratos dos seus antepassados. "Não são meus parentes, achei tudo isso em um baú de um porão", confessou-me certa vez. Apontei para o mais antigo dos retratos, tão antigo que da mulher só restava a cabeleira escura. E as sobrancelhas. Esta você também achou no baú? perguntei. Ele riu e até hoje fiquei sem saber se era verdade ou não. Se você me ama mesmo, eu disse, suba então naquela mesa e grite com todas as forças, vocês são todos uns cornudos, vocês são todos uns cornudos! e depois desça da mesa e saia mas sem correr. Ele me deu o saxofone para segurar enquanto eu fugia rindo, Não, não, eu estava brincando, isso não! Já na esquina ouvi seus gritos em pleno bar, "Cornudos, todos cornudos!" Alcançou-me em meio da gente estupefata, "Luisiana, Luisiana, não me negue Luisiana!" Outra noite — saímos de um teatro — não resisti e perguntei-lhe se era capaz de cantar ali no saguão um trecho de ópera. Vamos, se você me ama mesmo, cante agora aqui na escada um trecho de *Rigoletto*!

Se você me ama mesmo, me leva agora a um restaurante, me compre já aqueles brincos, me compre imediatamente um vestido novo! Ele agora tocava em mais lugares porque eu estava ficando exigente, se você me ama mesmo, mesmo, mesmo... Saía às sete da noite com o saxofone debaixo do braço e só voltava de manhãzinha. Então limpava meticulosamente o bocal do instrumento, lustrava o metal com a fralda e ficava dedilhando distraidamente, sem nenhum cansaço, sem nenhum desgaste, "Luisiana, você é a minha música e eu não posso viver sem música", dizia abocanhando o bocal do saxofone com o mesmo fervor com que abocanhava meu peito. Comecei a ficar irritadiça, inquieta, era como se tivesse medo de assumir a responsabilidade de tamanho amor. Queria vê-lo mais independente, mais ambicioso. Você não tem ambição? Não usa mais artista sem ambição, que futuro você pode ter assim? Era sempre o saxofone quem me respondia e a argumentação era tão definitiva que me envergonhava e me sentia miserável por estar exigindo mais. Contudo, exigia. Pensei em abandoná-lo mas não tive forças, não tive, preferi que nosso amor apodrecesse, que ficasse tão insuportável que quando ele fosse embora saísse cheio de nojo, sem olhar para trás.

Onde agora? Onde? Tenho uma casa de campo, tenho um diamante do tamanho de um ovo de pomba... Eu pintava os olhos diante do espelho, tinha um compromisso, vivia cheia de compromissos, ia a uma boate com um banqueiro. Enrodilhado na cama ele tocava em surdina. Meus olhos foram ficando cheios de lágrimas. Enxuguei-os na fralda do saxofone e fiquei olhando para a minha boca que achei particularmente fina. Se você me ama mesmo, eu disse, se você me ama mesmo então saia e se mate imediatamente.

ANTES DO BAILE VERDE

O rancho azul e branco desfilava com seus passistas vestidos à Luís XV e sua porta-estandarte de peruca prateada em forma de pirâmide, os cachos desabados na testa, a cauda do vestido de cetim arrastando-se enxovalhada pelo asfalto. O negro do bumbo fez uma profunda reverência diante das duas mulheres debruçadas na janela e prosseguiu com seu chapéu de três bicos, fazendo rodar a capa encharcada de suor.

— Ele gostou de você — disse a jovem voltando-se para a mulher que ainda aplaudia. — O cumprimento foi na sua direção, viu que chique?

A preta deu uma risadinha.

— Meu homem é mil vezes mais bonito, pelo menos na minha opinião. E já deve estar chegando, ficou de me pegar às dez na esquina. Se me atraso, ele começa a encher a caveira e pronto, não sai mais nada.

A jovem tomou-a pelo braço e arrastou-a até a mesa de cabeceira. O quarto estava revolvido como se um ladrão tivesse passado por ali e despejado caixas e gavetas.

— Estou atrasadíssima, Lu! Essa fantasia é fogo... Tenha paciência, mas você vai me ajudar um pouquinho.

— Mas você ainda não acabou?

Sentando-se na cama, a jovem abriu sobre os joelhos o saiote verde. Usava biquíni e meias rendadas também verdes.

— Acabei o quê! Falta pregar tudo isso ainda, olha aí... Fui inventar um raio de pierrete dificílima!

A preta aproximou-se, alisando com as mãos o quimono de seda brilhante. Espetado na carapinha trazia um crisântemo de papel crepom vermelho. Sentou-se ao lado da moça.

— O Raimundo já deve estar chegando, ele fica uma onça se me atraso. A gente vai ver os ranchos, hoje quero ver todos.

— Tem tempo, sossega — atalhou a jovem. Afastou os cabelos que lhe caíam nos olhos. Levantou o abajur que tombou na mesinha. — Não sei como fui me atrasar desse jeito.

— Mas não posso perder o desfile, viu, Tatisa? Tudo, menos perder o desfile!

— E quem está dizendo que você vai perder?

A mulher enfiou o dedo no pote de cola e baixou-o de leve nas lantejoulas do pires. Em seguida, levou o dedo até o saiote e ali deixou as lantejoulas formando uma constelação desordenada. Colheu uma lantejoula que escapara e delicadamente tocou com ela na cola. Depositou-a no saiote, fixando-a com pequenos movimentos circulares.

— Mas se tiver que pregar as lantejoulas em todo o saiote...

— Já começou a queixação? Achei que dava tempo e agora não posso largar a coisa pela metade, vê se entende! Você ajudando vai num instante, já me pintei, olha aí, que tal minha cara? Você nem disse nada, sua bruxa! Hein!... Que tal?

— Ficou bonito, Tatisa. Com o cabelo assim verde você está parecendo uma alcachofra, tão gozado. Não gosto é desse verde na unha, fica esquisito.

Num movimento brusco, a jovem levantou a cabeça para respirar melhor. Passou o dorso da mão na face afogueada.

— Mas as unhas é que dão a nota, sua tonta. É um baile verde, as fantasias têm que ser verdes, tudo verde. Mas não precisa ficar me olhando, vamos, não pare, pode falar, mas vá trabalhando. Falta mais da metade, Lu!

— Estou sem óculos, não enxergo direito sem os óculos.

— Não faz mal — disse a jovem limpando no lençol o excesso de cola que lhe escorreu pelo dedo. — Vá grudando de qualquer jeito que lá dentro ninguém vai reparar, vai ter gente à beça. O que está me endoidando é esse calor, não aguento mais, tenho a impressão de que estou me derretendo, você não sente? Calor bárbaro!

A mulher tentou prender o crisântemo que resvalara para o pescoço. Franziu a testa e baixou o tom de voz.

— Estive lá.

— E daí?

— Ele está morrendo.

Um carro passou na rua, buzinando freneticamente. Alguns meninos puseram-se a cantar aos gritos, o compasso marcado pelas batidas numa panela: *A coroa do rei não é de ouro nem de prata...*

— Parece que estou num forno — gemeu a jovem dilatando as narinas porejadas de suor. — Se soubesse, teria inventado uma fantasia mais leve.

— Mais leve do que isso? Você está quase nua, Tatisa. Eu ia com a minha havaiana, mas só porque aparece um pedaço da coxa o Raimundo implica. Imagine você então...

Com a ponta da unha, Tatisa colheu uma lantejoula que se enredara na renda da meia. Deixou-a cair na pequena constelação que ia armando na barra do saiote e ficou raspando pensativamente um pingo ressequido de cola que lhe caíra no joelho. Vagava o olhar pelos objetos, sem fixar-se em nenhum. Falou num tom sombrio:

— Você acha, Lu?

— Acha o quê?

— Que ele está morrendo?

— Ah, está sim. Conheço bem isso, já vi um monte de gente morrer, agora já sei como é. Ele não passa desta noite.

— Mas você já se enganou uma vez, lembra? Disse que ele ia morrer, que estava nas últimas... E no dia seguinte ele já pedia leite, radiante.

— Radiante? — espantou-se a empregada. Fechou num muxoxo os lábios pintados de vermelho-violeta. — E depois, eu não disse não senhora que ele ia morrer, eu disse que ele estava ruim, foi o que eu disse. Mas hoje é diferente, Tatisa. Espiei da porta, nem precisei entrar para ver que ele estava morrendo.

— Mas quando fui lá ele estava dormindo tão calmo, Lu.

— Aquilo não é sono. É outra coisa.

Afastando bruscamente o saiote aberto nos joelhos, a jovem levantou-se. Foi até a mesa, pegou a garrafa de uísque e procurou um copo em meio da desordem dos frascos e caixas. Achou-o debaixo da esponja de arminho. Soprou o fundo cheio de pó de arroz e bebeu em largos goles, apertando os maxilares. Respirou de boca aberta. Dirigiu-se à preta.

— Quer?

— Tomei muita cerveja, se misturo dá ânsia.

A jovem despejou mais uísque no copo.

— Minha pintura não está derretendo? Veja se o verde dos olhos não borrou... Nunca transpirei tanto, sinto o sangue ferver.

— Você está bebendo demais. E nessa correria... Também não sei por que essa invenção de saiote bordado, as lantejoulas vão se desgrudar todas no aperto. E o pior é que não posso caprichar, com o pensamento no Raimundo lá na esquina...

— Você é chata, não, Lu? Mil vezes fica repetindo a mesma coisa, taque-taque-taque-taque! Esse cara não pode esperar um pouco?

A mulher não respondeu. Ouvia com expressão deliciada a música de um bloco que passava já longínquo. Cantarolou em falsete: *Acabou chorando... acabou chorando...*

— No outro carnaval entrei num bloco de *sujos* e me diverti à grande. Meu sapato até desmanchou de tanto que dancei.

— E eu na cama, podre de gripe, lembra? Neste quero me esbaldar.

— E seu pai?

Lentamente a jovem foi limpando no lenço as pontas dos dedos esbranquiçados de cola. Tomou um gole de uísque. Voltou a afundar o dedo no pote.

— Você quer que eu fique aqui chorando, não é isso que você quer? Quer que eu cubra a cabeça com cinza e fique de joelhos rezando, não é isso que você está querendo? — Ficou olhando para a ponta do dedo coberto de lantejoulas. Foi deixando no saiote o dedal cintilante. — Que é que eu posso fazer? Não sou Deus, sou? Então? Se ele está pior, que culpa tenho eu?

— Não estou dizendo que você é culpada, Tatisa. Não tenho nada com isso, ele é seu pai, não meu. Faça o que bem entender.

— Mas você começa a dizer que ele está morrendo!

— Pois está mesmo.

— Está nada! Também espiei, ele está dormindo, ninguém morre dormindo daquele jeito.

— Então não está.

A jovem foi até a janela e ofereceu a face ao céu roxo. Na calçada, um bando de meninos brincava com bisnagas de plástico em formato de banana, esguichando água um na cara do outro. Interromperam a brincadeira para vaiar um homem que passou vestido de mulher, pisando para fora nos sapatos de saltos altíssimos. "Minha lindura, vem comigo, minha lindura!" — gritou o moleque maior, correndo atrás do homem. Ela assistia à cena com indiferença. Puxou com força as meias presas aos elásticos do biquíni.

— Estou transpirando feito um cavalo. Juro que se não tivesse me pintado, me metia agora num chuveiro, besteira a gente se pintar antes.

— E eu não aguento mais de sede — resmungou a empregada arregaçando as mangas do quimono. — Ai! uma cerveja bem geladinha. Gosto mesmo é de cerveja, mas o Raimundo prefere cachaça. No ano passado ele ficou de porre os três dias, fui sozinha no desfile. Tinha um carro que foi o mais bonito de todos, representava um mar. Você precisava ver aquele monte de sereias enroladas em pérolas. Tinha pescador, tinha pirata, tinha polvo, tinha tudo! Bem lá em cima, dentro de uma concha abrindo e fechando, a rainha do mar coberta de joias...

— Você já se enganou uma vez — atalhou a jovem. — Ele não pode estar morrendo, não pode. Também estive lá antes de você, ele estava dormindo tão sossegado. E hoje cedo até me reconheceu, ficou me olhando, me olhando e depois sorriu. Você está bem papai?, perguntei e ele não respondeu mas vi que entendeu perfeitamente o que eu disse.

— Ele se fez de forte, coitado.

— De forte, como?

— Sabe que você tem o seu baile, não quer atrapalhar.

— Ih, como é difícil conversar com gente ignorante — explodiu a jovem, atirando no chão as roupas amontoadas na cama. Revistou os bolsos de uma calça comprida. — Você pegou meu cigarro?

— Tenho minha marca, não preciso dos seus.

— Escuta, Luzinha, escuta — começou ela, ajeitando a flor na carapinha da mulher. — Eu não estou inventando, tenho certeza de que ainda hoje cedo ele me reconheceu. Acho que nessa hora sentiu alguma dor porque uma lágrima foi escorrendo daquele lado paralisado. Nunca vi ele chorar daquele lado, nunca. Chorou só daquele lado, uma lágrima tão escura...

— Ele estava se despedindo.

— Lá vem você de novo, merda! Pare de bancar o corvo, até parece que você quer que seja hoje. Por que tem que repetir isso, por quê?

— Você mesmo pergunta e não quer que eu responda. Não vou mentir, Tatisa.

A jovem espiou debaixo da cama. Puxou um pé de sapato. Agachou-se mais, roçando os cabelos verdes no chão. Levantou-se, olhou em redor. E foi-se ajoelhando devagarinho diante da preta. Apanhou o pote de cola.

— E se você desse um pulo lá só para ver?

— Mas você quer ou não que eu acabe isto? — a mulher gemeu exasperada, abrindo e fechando os dedos ressequidos de cola. — O Raimundo tem ódio de esperar, hoje ainda apanho!

A jovem levantou-se. Fungou, andando rápido num andar de bicho na jaula. Chutou o sapato que encontrou no caminho.

— Aquele médico miserável. Tudo culpa daquela bicha. Eu bem disse que não podia ficar com ele aqui em casa, eu disse que não sei tratar de doente, não tenho jeito, não posso! Se você fosse boazinha, você me ajudava, mas você não passa de uma egoísta, uma chata que não quer saber de nada. Sua egoísta!

— Mas Tatisa, ele não é meu pai, não tenho nada com isso, até que ajudo muito sim senhora, como não? Todos esses meses quem é que tem aguentado o tranco? Não me queixo porque ele é muito bom, coitado. Mas tenha a santa paciência, hoje não! Já estou fazendo demais aqui plantada quando devia estar na rua.

Com um gesto fatigado, a jovem abriu a porta do armário. Olhou-se no espelho. Beliscou a cintura.

— Engordei, Lu.

— Você, gorda? Mas você é só osso, menina. Seu namorado não tem onde pegar. Ou tem?

Ela ensaiou com os quadris um movimento lascivo. Riu. Os olhos animaram-se:

— Lu, Lu, pelo amor de Deus, acabe logo que à meia-noite ele vem me buscar. Mandou fazer um pierrô verde.

— Também já me fantasiei de pierrô. Mas faz tempo.

— Vem num Tufão, viu que chique?

— Que é isso?

— É um carro muito bacana, vermelho. Mas não fique aí me olhando, depressa, Lu, você não vê que... — Passou ansiosamente a mão no pescoço. — Lu, Lu, por que ele não ficou no hospital?! Estava tão bem no hospital...

— Hospital de graça é assim mesmo, Tatisa. Eles não podem ficar a vida inteira com um doente que não resolve, tem doente esperando até na calçada.

— Há meses que venho pensando nesse baile. Ele viveu sessenta e seis anos. Não podia viver mais um dia?

A preta sacudiu o saiote e examinou-o a uma certa distância. Abriu-o de novo no colo e inclinou-se para o pires de lantejoulas.

— Falta só um pedaço.

— Um dia mais...

— Vem me ajudar, Tatisa, nós duas pregando vai num instante.

Agora ambas trabalhavam num ritmo acelerado, as mãos indo e vindo do pote de cola ao pires e do pires ao saiote, curvo como uma asa verde, pesada de lantejoulas.

— Hoje o Raimundo me mata — recomeçou a mulher, grudando as lantejoulas meio ao acaso. Passou o dorso da mão na testa molhada. Ficou com a mão parada no ar. — Você não ouviu?

A jovem demorou para responder.

— O quê?

— Parece que ouvi um gemido.

Ela abaixou o olhar.

— Foi na rua.

Inclinaram as cabeças irmanadas sob a luz amarela do abajur.

— Escuta, Lu, se você pudesse ficar hoje, só hoje — começou ela num tom manso. Apressou-se: — Eu te daria meu vestido branco, aquele meu branco, sabe qual é? E também os sapatos, estão novos ainda, você sabe que eles estão novos. Você pode sair amanhã, você pode sair todos os dias, mas pelo amor de Deus, Lu, fica hoje!

A empregada empertigou-se, triunfante.

— Custou, Tatisa, custou. Desde o começo eu já estava esperando. Ah, mas hoje nem que me matasse eu ficava, hoje não. — O crisântemo caiu enquanto ela sacudiu a cabeça. Prendeu-o com um grampo que abriu entre os dentes. — Perder esse desfile? Nunca! Já fiz muito — acrescentou sacudindo o saiote. — Pronto, pode vestir. Está um serviço porco mas ninguém vai reparar.

— Eu podia te dar o casaco azul — murmurou a jovem, limpando os dedos no lençol.

— Nem que fosse para ficar com meu pai eu ficava, ouviu isso, Tatisa? Nem com meu pai, hoje não.

Levantando-se de um salto, a moça foi até a garrafa e bebeu de olhos fechados mais alguns goles. Vestiu o saiote.

— Brrrr! Esse uísque é uma bomba — resmungou, aproximando-se do espelho. — Anda, venha aqui me abotoar, não precisa ficar aí com essa cara. Sua chata.

A mulher tateou os dedos por entre o tule.

— Não acho os colchetes.

A jovem ficou diante do espelho, as pernas abertas, a cabeça levantada. Olhou para a mulher através do espelho:

— Morrendo coisa nenhuma, Lu. Você estava sem os óculos quando entrou no quarto, não estava? Então não viu direito, ele estava dormindo.

— Pode ser que me enganasse mesmo.

— Claro que se enganou! Ele estava dormindo.

A mulher franziu a testa, enxugando na manga do quimono o suor do queixo. Repetiu como um eco:

— Estava dormindo, sim.

— Depressa, Lu, faz uma hora que está com esses colchetes!

— Pronto — disse a outra, baixinho, enquanto recuava até a porta. — Não precisa mais de mim, não é?

— Espera! — ordenou a moça perfumando-se rapidamente. Retocou os lábios, atirou o pincel ao lado do vidro destapado.

— Já estou pronta, vamos descer juntas.

— Tenho que ir, Tatisa!

— Espera, já disse que estou pronta — repetiu, baixando a voz. — Só vou pegar a bolsa...

— Você vai deixar a luz acesa?

— Melhor, não? A casa fica mais alegre assim.

No topo da escada ficaram mais juntas. Olharam na mesma direção: a porta estava fechada. Imóveis como se tivessem sido petrificadas na fuga, as duas mulheres ficaram ouvindo o relógio da sala. Foi a preta quem primeiro se moveu. A voz era um sopro:

— Quer ir dar uma espiada, Tatisa?

— Vá você, Lu...

Trocaram um rápido olhar. Bagas de suor escorriam pelas têmporas verdes da jovem, um suor turvo como o sumo de uma casca de limão. O som prolongado de uma buzina foi-se fragmentando lá fora. Subiu poderoso o som do relógio. Brandamente a empregada desprendeu-se da mão da jovem. Foi descendo a escada na ponta dos pés. Abriu a porta da rua.

— Lu! Lu! — a jovem chamou num sobressalto. Continha-se para não gritar. — Espera aí, já vou indo!

E apoiando-se no corrimão, colada a ele, desceu precipitadamente. Quando bateu a porta atrás de si, rolaram pela escada algumas lantejoulas verdes na mesma direção, como se quisessem alcançá-la.

EU ERA MUDO E SÓ

Sentou na minha frente e pôs-se a ler um livro à luz do abajur. Já está preparada para dormir: o macio roupão azul sobre a camisola, a chinela de rosinhas azuis, o frouxo laçarote de fita prendendo os cabelos alourados, a pele tão limpa, tão brilhante, cheirando a sabonete provavelmente azul, tudo tão vago, tão imaterial. Celestial.

— Você parece um postal. O mais belo postal da coleção Azul e Rosa. Quando eu era menino, adorava colecionar postais.

Ela sorriu e eu sorrio também ao vê-la consertar quase imperceptivelmente a posição das mãos. Agora o livro parece flutuar entre seus dedos tipo Gioconda. Acendo um cigarro. Tia Vicentina dizia sempre que eu era muito esquisito. "Ou esse seu filho é meio louco, mana, ou então..." Não tinha coragem de completar a frase, só ficava me olhando, sinceramente preocupada com meu destino. Penso agora como ela ficaria espantada se me visse aqui nesta sala que mais parece a página de uma dessas revistas da arte de decorar, bem vestido, bem barbeado e bem casado, solidamente casado com uma mulher divina-maravilhosa, quando borda, o trabalho parece sair das mãos de uma freira e quando cozinha!... Verlaine em sua boca é aquela pronúncia, a voz impostada, uma voz rara. E se tem filho então, tia Vicentina? A criança nasce uma dessas coisas, entende? Tudo tão harmonioso, tão perfeito. "Que gênero de poesia a senhora prefere?" — perguntou o repórter à poetisa peituda e a poetisa peituda revirou os olhos, "O senhor sabe, existe a poesia realista e a poesia sublime. Eu prefiro a sublime!" Pois aí está, tia Vicentina.

— Sublime.

— Você falou, meu bem? — perguntou Fernanda sem desviar o olhar do livro.

— Acho que gostaria de sair um pouco.

— Para ir aonde?

"Tomar um chope" — eu estive a ponto de dizer. Mas a pergunta de Fernanda já tinha rasgado pelo meio minha vontade. A primeira pergunta de uma série tão sutil que quando eu chegasse até a rua já não teria vontade de tomar um chope, não teria vontade de fazer mais nada. Tudo estaria estragado e o melhor ainda seria voltar.

Levanto-me sentindo seu olhar duplo pousar em mim, olhar duplo é uma qualidade raríssima, pode ler e ver o que estou fazendo. Tem a expressão mansa, desligada. Contudo, o olhar é mais preciso do que a máquina japonesa que comprou numa viagem: "Veja — disse, mostrando a fotografia —, até a sombra da asa da borboleta a objetiva pegou." Esse olhar na minha nuca. Não consegue captar minha expressão porque estou de costas.

— E se não vê a sombra das minhas asas é porque elas foram cortadas.

— Que foi que você resmungou, meu bem?

— Nada, nada. É um verso que me ocorreu, um verso sobre asas.

Ela contraiu as sobrancelhas.

— Engraçado, você não costuma pensar em voz alta.

Ela sabe o que costumo e o que não costumo. Sabe tudo porque é exemplar e a esposa exemplar deve adivinhar. Mordisco o lábio devagarinho, bem devagarinho até a dor ficar quase insuportável. Adivinhar meu pensamento. Sem dúvida ela chegaria um dia a esse estado de perfeição. E nessa altura eu estaria tão desfibrado, tão vil que haveria de chorar lágrimas de enternecimento quando a visse colocar na minha mão o copo d'água que pensei em ir buscar.

Abro a janela e sinto na cara o ar gelado da noite. A lua, não, a lua já tinha sido quase tocada, talvez nesse instante mesmo em que a olhava algum abelhudo já rondava por lá. Solidão era solidão de estrela. "Sei que a solidão é dura às vezes de aguentar — disse Jacó no dia que soube do meu casamento. — Mas se é difícil carregar a solidão, mais difícil ainda é carregar uma companhia. A companhia resiste, a companhia tem uma saúde de ferro! Tudo pode acabar em redor e a companhia continua firme, pronta a virar qualquer coisa para não ir embora, mãe, irmã, enfermeira, amigo... Escolher para mulher aquela que seria nosso amigo se fosse homem, esse negócio então é o pior de todos. Abominável. Estremeço só em pensar nesse gênero de mulher que adora fazer noitada com o marido. Querem beber e não sabem beber, logo ficam vulgares, desbocadas..." Enveredamos proseando por uma rua de bairro, Jacó e eu. As casas eram antigas e havia no ar um misterioso perfume de jardim. Eu ria das coisas que Jacó ia dizendo, mas meu coração estava inquieto. Quando passamos por um bar, ele me tomou pelo braço: "Vamos beber enquanto ainda podemos beber juntos." Quase cheguei a me irritar, "Você não conhece a Fernanda. Ela é tão sensível, tão generosa, jamais pensará sequer em interferir na minha vida. E nem eu admitiria." Ele ficou olhando para o copo de uísque. "Mas está claro que ela não vai interferir, meu querubim. O processo será outro, conheço bem essas moças compreensivas, ora se!..." O ambiente estava aconchegante, o uísque era bom, estava gostando tanto de rever Jacó com sua boina e o sobretudo antiquíssimo. Recém-casado com a mulher que amava. E então? Por que não estava feliz? "Das duas, uma — prosseguiu Jacó enchendo a boca de amendoins. — Ou a mulher fica aquele tipo de amigona e etc. e tal ou fica de fora. Se fica de fora, com a famosa sabedoria da serpente misturada à inocência da pomba, dentro de um tempo mínimo conseguirá indispor a gente de tal modo com os amigos que quando menos se espera estaremos distantes deles as vinte mil léguas submarinas. No outro caso, se ficar a tal que seria nosso amigo se fosse homem, acabará gostando tanto dos nossos amigos, mas tanto que logo escolherá o melhor para se deitar. Quer dizer, ou vai nos trair ou chatear. Ou as duas coisas."

— Esses cigarros devem estar velhos — disse Fernanda.

Volto-me devagar. Ela abre as páginas do livro com uma pequena espátula de marfim.

— Que cigarros?

— Esses da caixa, meu bem. Não foi por isso que você não fumou?

Abro o jornal. Mas que me importa o jornal? Queria outra coisa e olho em redor e não sei o que poderia ser.

— Fernanda, você se lembra do Jacó?

— Lembro, como não? Era simpático o Jacó.

— *Era...* Você fala como se ele tivesse morrido.

Ela sorriu entre complacente e irônica.

— Mas é como se tivesse morrido mesmo. Sumiu completamente, não?

— Completamente — respondo. E escondo a cara atrás do jornal porque nesse instante exato eu gostaria que ela estivesse morta. Irremediavelmente morta e eu chorando como louco, chorando desesperado porque a verdade é que a amava, mas era verdade também que fora uma solução livrar-me dela assim. Uma morta pranteadíssima. Mas bem morta. E todos com uma pena enorme de mim e eu também esfrangalhado de dor porque jamais encontraria uma criatura tão extraordinária, que me amasse tanto como ela me amou. Sofrimento total. Mas quando viesse a noite e eu abrisse a porta e não a encontrasse me esperando para o jantar, quando me visse só no escuro nesta sala, então daria aquele grito que dei quando era menino e subi na montanha.

— Hoje você está cansado, não está?

Ergo o olhar até Fernanda. A mãe de minha filha. Minha companheira há doze anos, pronta para ir buscar aspirina se a dor é na cabeça, pronta para chamar o médico se a dor é no apêndice. Sou um monstro.

— Cansado propriamente não. Sem ânimo.

— Já reparei que ultimamente você anda esfregando muito os olhos, acho que devia ir ao oculista.

Não podia mais esfregar os olhos. Era bom esconder os polegares dentro da mão e ficar esfregando os olhos com os nós dos dedos, mas se continuasse fazendo isso teria que ir ao oculista para explicar. Os menores movimentos tinham que ter uma explicação, nenhum gesto gratuito, inútil. Abri a televisão e a moça de peruca loura me avisou que eu perderia os dentes se não comprasse o dentifrício... Desliguei depressa. Beba, coma, leia, vista — ah! Ah.

— *Eu era mudo e só na rocha de granito.*

Fernanda teve um risinho cascateante, é especialista nesse tipo de riso.

— Meu bem, quando eu era menina ouvi uma declamadora recitar isso numa festa em casa de uma tia velhinha, foi tão divertido. Ela gostava de recitar isso e aquela outra coisa ridícula, *se a cólera que espuma!*

Tão fina, não? Tão exigente. Poesia mesmo, só a de T. S. Elliot. Música, só a de Bach, "Pronuncia-se *Barh*", ensinou afetadamente ainda ontem para Gisela. Só lê literatura francesa, "Ih, o Robbe-Grillet, a Sarraute"... Como se tivesse há pouco tomado um café com eles na esquina.

— Ridículo por que, Fernanda? São poesias ótimas.

— Ora, querido, não faça polêmica — murmurou ela inclinando a cabeça para o ombro. Levantou a espátula: — Tinha me esquecido, imagine que Gisela teve distinção em inglês. Vai ganhar uma medalha.

Gisela, minha filha. Já sabia sorrir como a mãe sorria, de modo a acentuar a covinha da face esquerda. E já tinha a mesma mentalidade, uma pequenina burguesa preocupada com a aparência, "Papaizinho querido, não vá mais me buscar de jipe!" A querida tolinha sendo preparada como a mãe fora preparada, o que vale é o mundo das aparências. As aparências. Virtuosas, sem dúvida, de moral suficientemente rija para não pensar sequer em trair o marido, e o inferno? De constituição suficientemente resistente para sobreviver a ele, pois a esposa exemplar deve morrer depois para poupar-lhe os dissabores.

Era o círculo eterno sem começo nem fim. Um dia Gisela diria à mãe qual era o escolhido. Fernanda o convidaria para jantar conosco, exatamente como a mãe dela fizera comigo. O arzinho de falsa distraída em pleno funcionamento na inaparente teia das perguntas, "Diz que prolonga a vida a gente amar o trabalho que faz. Você ama o seu?..." A perplexidade do moço diante de certas considerações tão ingênuas, a mesma perplexidade que um dia senti. Depois, com o passar do tempo, a metamorfose na maquinazinha social azeitada pelo hábito de rir sem vontade, de chorar sem vontade, de falar sem vontade, de fazer amor sem vontade... O homem adaptável, ideal. Quanto mais for se apoltronando, mais há de convir aos outros, tão cômodo, tão portátil. Comunicação total, mimetismo: entra numa sala azul fica azul, numa vermelha, vermelho. Um dia se olha no espelho, de que cor eu sou? Tarde demais para sair pela porta afora. E desejando, covarde e miseravelmente desejando que ela se volte de repente para confessar, "Tenho um amante". Ou então que, ao invés de enfiar a espátula no livro, enterre-a até o cabo no coração.

— Cris passou ontem lá na loja — disse ela. — Telefonou, você não estava. Parecia preocupado, não concordou com sua compra de tratores.

— E o que aquele filho-de-uma-cadela entende de trator?

— Manuel!

— Desculpe, Fernanda, escapou. Mas é que nunca ele entendeu de tratores, fica falando sem entender do assunto.

E eu? Eu entendo? Penso no senador. Quanto tempo levei para entender aquele sorriso, quanto tempo. Estávamos os dois frente a frente, meu futuro sogro e eu. Ele brincava com a corrente do relógio e me olhava disfarçadamente, também tinha esse tipo de olhar duplo. "Se minha filha decidiu, então já está decidido. Apenas o senhor ainda não me disse o que gostaria de fazer." Procurei encará-lo. O que eu gostaria de fazer? Voltei-me para Fernanda que se sentara ao piano e cantarolava baixinho uma balada inglesa, uma balada muito antiga que contava a história de uma princesa que morreu de amor e foi enterrada num vale, *"and now she lays in the valley"*... O senador brincava ainda com a corrente: "Sei que o senhor é jornalista, mas está visto que depois do casamento vai ter que se ocupar com outra coisa, Fernanda vai querer ter o mesmo nível de vida que tem agora. Desde que deixei a política, vou de vento em popa no meu negócio. Queria convidá-lo para ser meu sócio. Que tal?" Fiquei olhando para sua corrente de ouro. "Mas senador, acontece que não entendo nada de máquinas agrícolas!" Ele levantou-se para se servir de conhaque. E teve aquele sorriso especialíssimo, cujo sentido não consegui alcançar. "Entre para a firma, meu jovem, entre para a firma e vai entender rápido." Aceitei o conhaque. "O senhor me desculpe a franqueza, senador, mas o caso é que detesto máquinas..." Ele agora examinava a garrafa que tinha um rótulo pomposo, mas com o olhar sobressalente, me observava. "Não importa, jovem. Vai entender e vai até gostar, questão de tempo." Baixei a cabeça, confundido. Questão de tempo? Tive então uma vontade absurda de me levantar e ir embora, sumir para sempre, sumir. Largar ali na sala o senador com suas máquinas, Fernanda com suas baladas, adeus, minha noiva, adeus! Tão forte a vontade de fugir que cheguei a agarrar os braços da poltrona para me levantar de um salto. A música, o conhaque, o pai e a filha, tudo, tudo era da melhor qualidade, impossível mesmo encontrar lá fora uma cena igual, uma gente igual. Mas gente para ser vista e admirada do lado de fora, através da vidraça. Acho que cheguei mesmo a me levantar. Dei uma volta em torno da mesa, olhei para o senador, para Fernanda, para o gato siamês enrodilhado na almofada. Fiquei. Fui relaxando os músculos, sentei-me de novo, bebi mais um pouco e fiquei. Fernanda cantava e a balada me pareceu desesperadamente triste com sua princesa enterrada num vale solitário, onde cresciam flores silvestres. Alguma coisa também parecia ter morrido em mim, *"and now she lays in the valley where the wild flowers nod"* ...

— Quer ouvir música? — Fernanda perguntou, baixando o livro. — Gisela trouxe discos novos.

Já estou há algumas horas sem fazer nada, alheado. E a esposa exemplar não deve deixar o homem com a mente assim em disponibilidade.

— Agora não, depois.

Abro uma revista. Ela então inclinou a cabeça sob o halo redondo do abajur e recomeçou a ler. Que quadro! Se tivesse um grande cão sentado aos pés dela, um são-bernardo, por exemplo, a cena então ficaria perfeita. Mas mesmo sem o cachorrão peludo o quadro está tão bem composto que não resisto de olhos abertos. Guardo o postal no bolso. Fernanda ficou impressa num postal, pronto, posso sair de cabeça descoberta e sem direção, ninguém me perguntou para onde vou nem a que horas devo voltar e se não quero levar um pulôver — ah! maravilha, maravilha. Não precisou ter amantes, não precisou morrer, não precisou acontecer nada de desagradável, de chocante, de repente tudo se imobilizou e virou uma superfície colorida e brilhante, para sempre um postal, um belíssimo postal que superou todos os que já vi em matéria de perfeição. Posso levá-lo comigo, mas como postal não faz perguntas não preciso dizer por que vou indo delirante rumo ao cais. Já vislumbro o navio em meio da cerração e a água mansa batendo no casco e o cheiro de mar. O cheiro de mar. O apito subindo pesadamente com a âncora, depressa, depressa que a escada ainda me espera! Subo levíssimo. Vai para Sumatra? Vai para Hong Kong? O navio avança e um claro mar de estrelas vai-se abrindo em minha frente. Senta-se ao meu lado um companheiro de viagem. Não o distingo bem no escuro e isso nos faz mais livres ainda, dois passageiros sem bagagem e sem feições. Tiro o postal do bolso: "Esta era minha mulher. Esta era minha casa." O homem aproxima a brasa do cigarro da mancha azul e rosada que é Fernanda. "Ela morreu?" — pergunta ele. "Não, não morreu. Uma noite ela virou este cartão. Tinha ainda uma menininha, um cachorro, um piano, tinha muitas coisas mais. Viraram este cartão." O homem não faz comentários. Guardo o postal no bolso. Posso também rasgá-lo em pedacinhos e atirá-lo no mar, não importa, é só um cartão e eu sou apenas um vagabundo debaixo das estrelas. Oh prisioneiros dos cartões-postais de todo o mundo, venham ouvir comigo a música do vento! Nada é tão livre como o vento no mar!

— Será que você pode fechar a janela? — pede Fernanda. — Esfriou, já começou o inverno.

Abro os olhos. Eu também estou dentro do postal. Devo estar envelhecendo para começar a soma das compensações. Mas a alegria simples de sair em silêncio para visitar um amigo. De amar ou deixar de amar sem nenhum medo, nunca mais o medo de empobrecer, de me perder, já estou perdido! Poderei tomar um trem ou cortar os pulsos sem nenhuma explicação?

Através do vidro as estrelas me parecem incrivelmente distantes. Fecho a cortina.

AS PÉROLAS

Demoradamente ele a examinava pelo espelho. "Está mais magra, pensou. Mas está mais bonita." Quando a visse, Roberto também pensaria o mesmo, "Está mais bonita assim."

Que iria acontecer? Tomás desviou o olhar para o chão. Pressentia a cena e com que nitidez: com naturalidade Roberto a levaria para a varanda e ambos se debruçariam no gradil. De dentro da casa iluminada, os sons do piano. E ali fora, no terraço deserto, os dois muito juntos se deixariam ficar olhando a noite. Conversariam? Claro que sim, mas só nos primeiros momentos. Logo atingiram aquele estado em que as palavras são demais. Quietos e tensos, mas calados na sombra. Por quanto tempo? Impossível dizer, mas o certo é que ficariam sozinhos uma parte da festa, apoiados no gradil dentro da noite escura. Só os dois, lado a lado, em silêncio. O braço dele roçando no braço dela. O piano.

— Tomás, você está se sentindo bem? Que é, Tomás?

Ele estremeceu. Agora era Lavínia que o examinava pelo espelho.

— Eu? Não, não se preocupe — disse ele, passando as pontas dos dedos pelo rosto. — Preciso fazer a barba...

— Tomás, você não me respondeu — insistiu ela. — Você está bem?

— Claro que estou bem.

A ociosidade, a miserável ociosidade daqueles interrogatórios. "Você está bem?" O sorriso postiço. "Estou bem." A insistência era necessária. "Bem mesmo?" Oh Deus. "Bem mesmo." A pergunta exasperante: "Você quer alguma coisa?" A resposta invariável: "Não quero nada."

"Não quero nada, isto é, quero viver. Apenas viver, minha querida, viver..." Com um movimento brando, ele ajeitou a cabeça no espaldar da poltrona. Parecia simples, não? Apenas viver. Esfregou a face na almofada de crochê. Relaxou os músculos. Uma ligeira vertigem turvou-lhe a visão. Fechou os olhos quando as tábuas do teto se comprimiram num balanço de onda. Esboçou um gesto impreciso em direção à mulher.

— Sinto-me tão bem.

— Pensei que você estivesse com alguma dor.

— Dor? Não. Eu estava mas era pensando.

Lavínia penteava os cabelos. Inclinara-se mais sobre a mesinha, de modo a poder ver melhor o marido que continuava estirado na sua poltrona, colocada um pouco atrás e à direita da banqueta na qual ela estava sentada.

— Pensando em coisas tristes?

— Não, até que não... — respondeu ele. Seria triste pensar, por exemplo, que enquanto ele ia apodrecer na terra ela caminharia ao sol de mãos dadas com outro?

Era verdadeiramente espantosa a nitidez com que imaginava a cena: o piano inesgotável, o ar morno da noite de outubro, tinha ainda que ser outubro com aquele perfume indefinível da primavera. A folhagem parada. E os dois, ombro a ombro, palpitantes e controlados, olhos fixos na escuridão. "Lavínia e Roberto já foram embora?" — perguntaria alguém num sussurro. A resposta sussurrante, pesada de reticências: "Estão lá fora, na varanda."

Cruzando os braços com um gesto brusco, ele esfregou o pijama nas axilas molhadas. Disfarçou o gesto e ali ficou alisando as axilas, como se sentisse uma vaga coceira. Cerrou os dentes. Por que nenhum convidado entrava naquele terraço? Por que não se rompiam, com estrépito, as cordas do piano? Ao menos — ao menos! — por que não desabava uma tempestade?

— A noite está firme?

— Firmíssima. Até lua tem.

Ele riu:

— Imagine, até isso.

Lavínia apoiou o queixo nas mãos entrelaçadas. Lançou-lhe um olhar inquieto.

— Tomás, que mistério é esse?

— Não tem mistério nenhum, meu amor. Ao contrário, tudo me parece tão simples. Mas vamos, não se importe comigo, estou brincando com minhas ideias, aquela brincadeira de ideias conexas, você sabe... — Teve uma expressão sonolenta. — Mas você não vai se atrasar? Me parece que a reunião é às nove. Não é às nove?

— Ai! Essa reunião. Estou com tanta vontade de ir como de me enforcar naquela porta. Vai ser uma chatice, Tomás, as reuniões lá sempre são chatíssimas, tudo igual, os sanduíches de galinha, o uísque ruim, o ponche doce demais...

— E Chopin, o Bóris não falha nunca. De Chopin você gosta.

— Ah, Tomás, não começa. Queria tanto ficar aqui com você.

Era verdade, ela preferia ficar, ela ainda o amava. Um amor meio esgarçado, sem alegria. Mas ainda amor. Roberto não passava de uma nebulosa imprecisa e que só seus olhos assinalaram a distância. No entanto, dentro de algumas horas, na aparente candura de uma varanda... Os acontecimentos se precipitando com uma rapidez de loucura, força de pedra que dormiu milênios e de repente estoura na avalancha. E estava em suas mãos impedir. Crispou-as dentro do bolso do roupão.

— Quero que você se distraia, Lavínia, sempre será mais divertido do que ficar aqui fechada. E depois, é possível que desta vez não seja assim tão igual, Roberto deve estar lá.

— Roberto?

— Roberto, sim.

Ela teve um gesto brusco.

— Mas Roberto está viajando. Já voltou?

— Já, já voltou.

— Como é que você sabe?

— Ele telefonou outro dia, tinha me esquecido de dizer. Telefonou, queria nos visitar. Ficou de aparecer uma noite dessas.

— Imagine... — murmurou ela, voltando-se de novo para o espelho. Com um fino pincel, pôs-se a delinear os olhos. Falou devagar, sem mover qualquer músculo da face. — Já faz mais de um ano que ele sumiu.

— É, faz mais de um ano.

Paciente Roberto. Pacientíssimo Roberto.

— E não se casou por lá?

Ele tentou vê-la através do espelho, mas agora ela baixara a cabeça. Mergulhava a ponta do pincel no vidro. Repetiu a pergunta:

— Ele não se casou por lá? Hein?... Não se casou, Tomás?

— Não, não se casou.

— Vai acabar solteirão.

Tomás teve um sorriso lento. Respirou penosamente, de boca aberta. E voltou o rosto para o outro lado. "Meu Deus." Apertou os olhos que foram se reduzindo, concentrados no vaso de gerânios no peitoril da janela. "Eles sabem que nem chegarei a ver esse botão desabrochar." Estendeu a mão ávida em direção à planta, colheu furtivamente alguns botões. Esmigalhou-os entre os dedos. Relaxou o corpo. E cerrou os olhos, a fisionomia em paz. Falou num tom suave.

— Você vai chegar atrasada.

— Melhor, ficarei menos tempo.

— Vai me dizer depois se gostou ou não. Mas tem que dizer mesmo.

— Digo, sim.

Depois ela não lhe diria mais nada. Seria o primeiro segredo entre os dois, a primeira névoa baixando densa, mais densa, separando-os como um muro embora caminhassem lado a lado. Viu-a perdida em meio da cerração, o rosto indistinto, a forma irreal. Encolheu-se no fundo da poltrona, uma mão escondida na outra, caramujo gelado rolando na areia, solidão, solidão. "Lavínia, não me abandone já, deixe ao menos eu partir primeiro!" A boca salgada de lágrimas. "Ao menos eu partir primeiro..." Retesou o tronco, levantou a cabeça. Era cruel. "Não podem fazer isso comigo, eu ainda estou vivo, ouviram bem? Vivo!"

— Ratos.

— Que ratos?

— Ratos, querida, ratos — disse e sorriu da própria voz aflautada. — Já viu um rato bem de perto? Tinha muito rato numa pensão onde morei. De dia ficavam enrustidos, mas de noite se punham insolentes, entravam nos armários, roíam o assoalho, roque-roque... Eu batia no chão para eles pararem e nas primeiras vezes eles pararam mesmo, mas depois foram se acostumando com minhas batidas e no fim eu podia atirar até uma bomba que continuavam roque-roque-roque-roque... Mas aí eu também já estava acostumado. Uma noite um deles andou pela minha cara. As patinhas são frias.

— Que coisa horrível, Tomás!

— Há piores.

A varanda. Lá dentro, o piano, sons melosos escorrendo num Chopin de bairro, as notas se acavalando no desfibramento de quem pede perdão, "Estou tão destreinado, esqueci tudo!" O incentivo ainda mais torpe, "Ora, está bom, continue!" Mas nem de rastros os sons penetravam realmente no silêncio da varanda, silêncio conivente isolando os dois numa aura espessa, de se cortar com faca. Então Roberto perguntaria naquele tom interessado, tão fraterno: "E o Tomás?" O descarado. À espera da resposta inevitável, o crápula. À espera da confissão que nem a si mesma ela tivera coragem de fazer: "Está cada vez pior." Ele pousaria de leve a mão no seu ombro, como a lhe dizer: "Eu estou ao seu lado, conte comigo." Mas não lhe diria isso, não lhe diria nada, ah, Roberto era oportuno demais para dizer qualquer coisa, ele apenas pousaria a mão no ombro dela e com esse gesto estaria dizendo tudo, "Eu te amo, Lavínia, eu te amo."

— Vou molhar os cabelos, estão secos como palha — queixou-se ela. E voltou-se para o homem: — Tomás, que tal um copo de leite?

Leite. Ela lhe oferecia leite. Contraiu os maxilares.

— Não quero nada.

Diante do espelho, ela deslizou os dedos pelo corpo, arrepanhando o vestido nos quadris. Parecia desatenta, fatigada.

— Está largo demais, quem sabe é melhor ir com o verde?

— Mas você fica melhor de preto — disse ele passando a ponta da língua pelos lábios gretados.

Roberto gostaria de vê-la assim, magra e de preto, exatamente como naquele jantar. Ela nem se lembrava mais, pelo menos *ainda* não se lembrava, mas ele revia como se tivesse sido na véspera aquela noite há quase dez anos.

Dois dias antes do casamento. Lavínia estava assim mesmo, toda vestida de preto. Como única joia, trazia seu colar de pérolas, precisamente aquele que estava ali, na caixa de cristal. Roberto fora o primeiro a chegar. Estava eufórico: "Que elegância, Lavínia! Como lhe vai bem o preto, nunca te vi tão linda. Se eu fosse você, faria o vestido de noiva preto. E estas pérolas? Presente do noivo?" Sim, parecia satisfeitíssimo, mas no fundo do seu sorriso, sob a frivolidade dos galanteios, lá no fundo, só ele, Tomás, adivinhava qualquer coisa de sombrio. Não, não era ciúme nem propriamente mágoa, mas qualquer coisa assim com o sabor sarcástico de uma advertência, "Fique com ela, fique com ela por enquanto. Depois veremos." Depois era agora.

A varanda, floreios de Chopin se diluindo no silêncio, vago perfume de folhagem, vago luar, tudo vago. Nítidos, só os dois, tão nítidos. Tão exatos. A conversa fragmentada, mariposa sem alvo deixando aqui e ali o pólen de prata das asas. "E aquele jantar, hein, Lavínia?" Ah, aquele jantar. "Foi há mais de dez anos, não foi?" Ela demoraria para responder. "No final, você lembra?, recitei Geraldy. Eu estava meio bêbado, mas disse o poema inteiro, não encontrei nada melhor para te saudar, lembra?" Ela ficaria séria. E um tanto perturbada, levaria a mão ao colar de pérolas, gesto tão seu quando não sabia o que dizer: tomava entre os dedos a conta maior do fio e ficava a rodá-la devagar. Sim, como não? Lembrava-se perfeitamente, só que o verso adquiria agora um novo sentido, não, não era mais o cumprimento galante para arreliar o noivo. Era a confissão profunda, grave: "Se eu te amasse, se tu me amasses, como nós nos amaríamos!"

— Podia usar o cinto — murmurou ela, voltando a apanhar o vestido nas costas. Dirigiu-se ao banheiro. — Paciência, ninguém vai reparar muito em mim.

"Só Roberto" — ele quis dizer. Esfregou vagarosamente as mãos. Examinou as unhas. "Têm que estar muito limpas", lembrou entrelaçando os dedos. Levou as mãos ao peito e vagou o olhar pela mesa: a esponja, o perfume, a escova, os grampos, o colar de pérolas... Através do vidro da caixa, ele via o colar. Ali estavam as pérolas que tinham atraído a atenção de Roberto, rosadas e falsas, mas singularmente brilhantes. Voltando ao quarto, ela poria o colar, distraída, inconsciente ainda de tudo quanto a esperava. No entanto, se lhe pedisse, "Lavínia, não vá", se lhe dissesse isto uma única vez, "não vá, fica comigo!"

Vergou o tronco até tocar o queixo nos joelhos, o suor escorrendo ativo pela testa, pelo pescoço, a boca retorcida, "Meu Deus!" O quarto rodopiava e numa das voltas sentiu-se arremessado pelo espaço, uma pedra subindo aguda até o limite do grito. E a queda desamparada no infinito, "Lavínia, Lavínia!..." Fechou os olhos e tombou no fundo da poltrona, tão gelado e tão exausto que só pôde desejar que Lavínia não entrasse naquele instante, não queria que ela o encontrasse assim, a boca ainda escancarada na convulsão da náusea. Puxou o xale até o pescoço. Agora era o cansaço atroz que o fazia sentir-se uma coisa miserável, sem forças sequer para abrir os olhos, "Meu Deus." Passou a mão na testa, mas a mão também estava úmida. "Meu Deus meu Deus meu Deus" — ficou repetindo meio distraidamente. Esfregou as mãos no tecido esponjoso da poltrona, acelerando o movimento. Ninguém podia ajudá-lo, ninguém.

Pensou na mãe, na mulherzinha raquítica e esmolambenta que nada tivera na vida, nada a não ser aqueles olhos poderosos, desvendadores. Dela herdara o dom de pressentir. "Eu já sabia", ela costumava dizer quando vinham lhe dar as notícias. "Eu já sabia", ficava repetindo obstinadamente, apertando os olhos de cigana. "Mas, se você sabia, por que então não fez alguma coisa para impedir?!" — gritava o marido a sacudi-la como um trapo. Ela ficava menorzinha nas mãos do homem, mas cresciam assustadores os olhos de ver na distância. "Fazer o quê? Que é que eu podia fazer senão esperar?"

"Senão esperar", murmurou ele, voltando o olhar para o fio de pérolas enrodilhado na caixa. Ficou ouvindo a água escorrendo na torneira.

— Você vai chegar atrasada!

O jorro foi interceptado pelo dique do pente.

— Não tem importância, amor.

Num movimento ondulante, ele se pôs na beirada da poltrona, o tronco inclinado, o olhar fixo.

— Está se esmerando, não?

— Nada disso, é que não acerto com o penteado.

— Seus grampos ficaram aqui. Você não quer os grampos? — disse ele. E num salto aproximou-se da mesa, apanhou o colar de pérolas, meteu-o no bolso e voltou à poltrona. — Não vai precisar de grampos?

— Não, já acabei, até que ficou melhor do que eu esperava.

Ele respirou de boca aberta, arquejante. Sorriu quando a viu entrar.

— Ficou lindo. Gosto tanto quando você prende o cabelo.

— Não vejo é o meu colar — murmurou ela abrindo a caixa de cristal. Franziu as sobrancelhas: — Parece que ainda agora estava por aqui.

— O de pérolas? Parece que vi também. Mas não está dentro da caixa?

— Não, não está. Que coisa mais misteriosa! Eu tinha quase certeza...

Agora ela revolvia as gavetas. Abriu caixas, apalpou os bolsos das roupas.

— Não se preocupe com isso, meu bem, você deve ter esquecido em algum lugar. Já é tarde, procuraremos amanhã — disse ele, baixando os olhos. Brincou com o pingente da cortina. — Prometi te dar um colar verdadeiro, lembra, Lavínia? E nunca pude cumprir a promessa.

Ela remexia as gavetas da cômoda. Tirou a tampa de uma caixinha prateada, despejou-a e ficou olhando para o fundo de veludo da caixa vazia.

— Eu tinha ideia que... — Voltou até a mesa, abriu pensativa o frasco de perfume, umedeceu as pontas dos dedos. Tapou o frasco e levou a mão ao pescoço. — Mas não é mesmo incrível?

— Decerto você guardou noutro lugar e esqueceu.

— Não, não, ele estava por aqui, tenho quase a certeza de que há pouco... — Sorriu voltando-se para o espelho. Interrogou o espelho. — Ou foi mesmo noutro lugar? Ah! lá sei — suspirou apanhando a carteira. Escovou com cuidado a seda já puída. — Que pena, o colar faz falta quando ponho este vestido, nenhum outro serve, só ele.

— Faz falta, sim — murmurou Tomás, segurando com firmeza o colar no fundo do bolso. E riu. — Que loucura.

— Hum? Que foi que você disse?

Tudo ia acontecer como ele previra, tudo ia se desenrolar com a naturalidade do inevitável, mas alguma coisa ele conseguira modificar, alguma coisa ele subtraíra da cena e agora estava ali na sua mão: um acessório, um mesquinho acessório mas indispensável para completar o quadro. Tinha a varanda, tinha Chopin, tinha o luar, mas faltavam as pérolas. Levantou a cabeça.

— Como pode ser, Tomás? Posso jurar que vi por aqui mesmo.

— Vamos, meu bem, não pense mais nisso. Umas pobres pérolas. Ainda te darei pérolas verdadeiras, nem que tenha que ir buscá-las no fundo do mar!

Ela afagou-lhe os cabelos. Ajeitou o xale para cobrir-lhe os pés e animou-se também.

— Pérolas da nossa ilha, Tomás?

— Da nossa ilha. Um colar compridíssimo, milhares e milhares de voltas.

Baixando os olhos brilhantes de lágrimas, ela inclinou-se para beijá-lo.

— Não demoro.

Quando a viu desaparecer, ele tirou o colar do bolso. Apertou-o fortemente, tentando triturá-lo, mas ao ver que as pérolas resistiam, escapando-lhe por entre os dedos, sacudiu-as com violência na gruta da mão. O entrechocar das contas produzia um som semelhante a uma risada. Sacudiu-as mais e riu, era como se tivesse prendido um duendezinho que agora se divertia em soltar risadinhas rosadas e falsas. Ficou sacudindo as pérolas, levando-as junto do ouvido. "Peguei-o, peguei-o" — murmurou soprando malicioso pelo vão das mãos em concha. Ergueu-se e ficou sério, os olhos escancarados, voltado para o ruído do portão de ferro se fechando.

— Lavínia! Lavínia! — ele gritou correndo até a janela. Abriu-a. — Lavínia, espere!

Ela parou no meio da calçada e ergueu a cabeça, assustada. Retrocedeu. Ele teve um olhar tranquilo para a mulher banhada de luar.

— Que foi, Tomás? Que foi?

— Achei seu colar de pérolas. Tome — disse, estendendo o braço. Deixou que o fio lhe escorresse por entre os dedos.

HERBARIUM

Todas as manhãs eu pegava o cesto e me embrenhava no bosque, tremendo inteira de paixão quando descobria alguma folha rara. Era medrosa mas arriscava pés e mãos por entre espinhos, formigueiros e buracos de bichos (tatu? cobra?) procurando a folha mais difícil, aquela que ele examinaria demoradamente: a escolhida ia para o álbum de capa preta. Mais tarde faria parte do herbário, ele tinha em casa um herbário com quase duas mil espécies de plantas. "Você já viu um herbário?", ele quis saber.

Herbarium, ensinou-me logo no primeiro dia em que chegou ao sítio. Fiquei repetindo a palavra, *herbarium*. *Herbarium*. Disse ainda que gostar de botânica era gostar de latim, quase todo o reino vegetal tinha denominação latina. Eu detestava latim mas fui correndo desencavar a gramática cor de tijolo escondida na última prateleira da estante, decorei a frase que achei mais fácil e na primeira oportunidade apontei para a formiga saúva subindo na parede: *formica bestiola est*. Ele ficou me olhando. A formiga é um inseto, apressei-me em traduzir. Então ele riu a risada mais gostosa de toda a temporada. Fiquei rindo também, confundida mas contente, ao menos achava alguma graça em mim.

Um vago primo botânico convalescendo de uma vaga doença. Que doença era essa que o fazia cambalear, esverdeado e úmido, quando subia rapidamente a escada ou quando andava mais tempo pela casa?

Deixei de roer as unhas, para espanto da minha mãe que já tinha feito ameaças de cortes de mesada ou proibição de festinhas no grêmio da cidade. Sem resultado. "Se eu contar, ninguém acredita", disse ela quando viu que eu esfregava para valer a pimenta vermelha nas pontas dos dedos. Fiz minha cara inocente: na véspera, ele me advertira que eu podia ser uma moça de mãos feias, "Ainda não pensou nisso?" Nunca tinha pensado antes, nunca me importei com as mãos, mas no instante em que ele fez a pergunta comecei a me importar. E se um dia elas fossem rejeitadas como as folhas defeituosas? Ou banais. Deixei de roer as unhas e deixei de mentir. Ou passei a mentir menos, mais de uma vez me falou no horror que tinha por tudo quanto cheirava a falsidade, escamoteação.

Estávamos sentados na varanda. Ele selecionava as folhas ainda pesadas de orvalho quando me perguntou se já tinha ouvido falar em folha persistente. Não? Alisava o tenro veludo de uma malva-maçã. A fisionomia ficou branda quando amassou a folha nos dedos e sentiu o seu perfume. As folhas persistentes duravam até mesmo três anos mas as cadentes amareleciam e se despregavam ao sopro do primeiro vento. Assim a mentira, folha cadente que podia parecer tão brilhante mas de vida breve. Quando o mentiroso olhava para trás, via no final de tudo uma árvore nua. Seca. Mas o verdadeiro, esse teria uma árvore farfalhante, cheia de passarinhos — e abriu as mãos para imitar o bater de folhas e asas. Fechei as minhas. Fechei a boca em brasa agora que os tocos das unhas (já crescidas) eram tentação e punição maior. Podia dizer-lhe que justamente por me achar assim apagada é que precisava me cobrir de mentira como se veste um manto fulgurante. Dizer-lhe que diante dele, mais do que diante dos outros, tinha de inventar e fantasiar para obrigá-lo a se demorar em mim como se demorava agora na verbena — será que não percebia essa coisa tão simples?

Chegou ao sítio com suas largas calças de flanela cinza e grosso suéter de lã tecida em trança, era inverno. E era noite. Minha mãe tinha queimado incenso (era sexta-feira) e preparou o Quarto do Corcunda, corria na família a história de um corcunda que se perdeu no bosque e minha bisavó instalou-o naquele quarto que era o mais quente da casa, não podia haver melhor lugar para um corcunda perdido ou para um primo convalescente.

Convalescente do quê? Qual doença tinha ele? Tia Marita, que era alegrinha e gostava de se pintar, respondeu rindo (falava rindo) que nossos chazinhos e bons ares faziam milagres. Tia Clotilde, embutida, reticente, deu aquela sua resposta que servia a qualquer tipo de pergunta: tudo na vida podia se alterar, menos o destino traçado na mão, ela sabia ler as mãos. "Vai dormir feito uma pedra", cochichou tia Marita quando me pediu que lhe levasse o chá de tília. Encontrei-o recostado na poltrona, a manta de xadrez cobrindo-lhe as pernas. Aspirou o chá. E me olhou. "Quer ser minha assistente?", perguntou soprando a fumaça. "A insônia me pegou pelo pé, ando tão fora de forma, preciso que me ajude. A tarefa é colher folhas para minha coleção, vai juntando o que bem entender que depois seleciono. Por enquanto, não posso mexer muito, terá que ir sozinha", disse e desviou o olhar úmido para a folha que boiava na xícara. Suas mãos tremiam tanto que a xícara transbordou no pires. É o frio, pensei. Mas continuaram tremendo no dia seguinte que fez sol, amareladas como os esqueletos de ervas que eu catava no bosque e queimava na chama da vela. Mas o que ele tem?, perguntei e minha mãe respondeu que mesmo que soubesse não diria, fazia parte de um tempo em que doença era assunto íntimo.

Eu mentia sempre, com ou sem motivo. Mentia principalmente à tia Marita que era bastante tonta. Menos à minha mãe, porque tinha medo de Deus e menos ainda à tia Clotilde que era meio feiticeira e sabia ver o avesso das pessoas. Aparecendo a ocasião, eu enveredava por caminhos os mais imprevistos, sem o menor cálculo de volta. Tudo ao acaso. Mas aos poucos, diante dele, minha mentira começou a ser dirigida, com um objetivo certo. Seria mais simples, por exemplo, dizer que colhi a bétula perto do córrego onde estava o espinheiro. Mas era preciso fazer render o instante em que se detinha em mim, ocupá-lo antes de ser posta de lado como as folhas sem interesse, amontoadas no cesto. Então ramificava os perigos, exagerava as dificuldades, inventava histórias que encompridavam a mentira. Até ser decepada com um rápido golpe de olhar, não com palavras, mas com o olhar ele fazia a hidra verde rolar emudecida enquanto minha cara se tingia de vermelho — o sangue da hidra.

"Agora você vai me contar direito como foi", ele pedia tranquilamente, tocando na minha cabeça. Seu olhar transparente. Reto. Queria a verdade. E a verdade era tão sem atrativos como a folha da roseira, expliquei-lhe isso mesmo, acho a verdade tão banal como esta folha. Ele me deu a lupa e abriu a folha na palma da mão: "Veja então de perto." Não olhei a folha, que me importava a folha?, olhei sua pele ligeiramente úmida, branca como o papel com seu misterioso emaranhado de linhas, estourando aqui e ali em estrelas.

Fui percorrendo as cristas e depressões, onde era o começo? Ou o fim? Demorei a lupa num terreno de linhas tão disciplinadas que por elas devia passar o arado, ih! vontade de deitar minha cabeça nesse chão. Afastei a folha, queria ver apenas os caminhos. O que significa este cruzamento, perguntei e ele me puxou o cabelo: "Também você, menina?!"

Nas cartas do baralho, tia Clotilde já lhe desvendara o passado e o presente: "E mais desvendaria", acrescentou ele guardando a lupa no bolso do avental branco, às vezes vestia o avental. O que ela previu? Ora, tanta coisa. De mais importante, só isso, que no fim da semana viria uma amiga buscá-lo, uma moça muito bonita, podia ver até a cor do seu vestido de corte antiquado, verde-musgo. Os cabelos era compridos, com reflexos de cobre, tão forte o reflexo na palma da mão!

Uma formiga vermelha entrou na greta do lajedo e lá se foi com seu pedaço de folha, veleiro desarvorado soprado pelo vento. Soprei eu também, a formiga é um inseto!, gritei, as pernas flexionadas, pendentes os braços para diante e para trás no movimento do macaco, hi hi! hu hu! hi hi! hu hu! é um inseto! um inseto!, repeti rolando no chão. Ele ria e procurava me levantar, você se machuca, menina, cuidado! Cuidado! Fugi para o campo, os olhos desvairados de pimenta e sal, sal na boca, não, não vinha ninguém, tudo loucura, uma louca varrida essa tia, invenção dela, invenção pura, como podia?! Até a cor do vestido, verde-musgo? E os cabelos, uma louca, tão louca como a irmã de cara pintada feito uma palhaça, rindo e tecendo seus tapetinhos, centenas de tapetinhos pela casa, na cozinha, na privada, duas loucas! Lavei os olhos cegos de dor, lavei a boca pesada de lágrimas, os últimos fiapos de unha me queimando a língua, não! Não. Não existia ninguém de cabelo de cobre que no fim da semana ia aparecer para buscá-lo, ele não ia embora nunca mais. Nunca mais!, repeti e minha mãe, que viera me chamar para o almoço, acabou se divertindo com a cara de diabo que fiz, disfarçava o medo fazendo caras de medo. E as pessoas se distraíam com essas caras e não pensavam mais em mim.

Quando lhe entreguei a folha de hera com formato de coração (um coração de nervuras trementes se abrindo em leque até as bordas verde-azuladas) ele beijou a folha e levou-a ao peito. Espetou-a na malha do suéter: "Esta vai ser guardada aqui." Mas não me olhou nem mesmo quando saí tropeçando no cesto. Corri até a figueira, posto de observação onde podia ver sem ser vista. Através do rendilhado de ferro do corrimão da escada, ele me pareceu menos pálido. A pele mais seca e mais firme a mão que segurava a lupa sobre a lâmina do espinho-do-brejo. Estava se recuperando, não estava? Abracei o tronco da figueira e pela primeira vez senti que abraçava Deus.

No sábado, levantei mais cedo. O sol forcejava a névoa, o dia seria azul quando ele conseguisse rompê-la. "Aonde você vai com esse vestido de maria-mijona?", perguntou minha mãe me dando a xícara de café com leite. "Por que desmanchou a barra?" Desviei sua atenção para a cobra que inventei ter visto no terreiro, toda preta com listras vermelhas, seria uma coral? Quando ela correu com a tia para ver, peguei o cesto e entrei no bosque. Como explicar-lhe que descera todas as barras das saias para esconder minhas pernas finas, cheias de marcas de picadas de mosquitos. Numa alegria desatinada fui colhendo as folhas, mordi goiabas verdes, atirei pedras nas árvores, espantando os passarinhos que cochichavam seus sonhos, me machucando de contente por entre a galharia. Corri até o córrego. Alcancei uma borboleta e prendendo-a pelas pontas das asas deixei-a na corola de uma flor. Te solto no meio do mel, gritei-lhe. O que vou receber em troca? Quando perdi o fôlego, tombei de costas nas ervas do chão. Fiquei rindo para o céu de névoa atrás da malha apertada dos ramos. Virei de bruços e esmigalhei nos dedos os cogumelos tão macios que minha boca começou a se encher d'água. Fui avançando de rastros até o pequeno vale de sombra debaixo da pedra. Ali era mais frio e maiores os cogumelos pingando um líquido viscoso dos seus chapéus inchados. Salvei uma abelhinha das mandíbulas de uma aranha, permiti que a saúva-gigante arrebatasse a aranha e a levasse na cabeça como uma trouxa de roupa esperneando, mas recuei quando apareceu o besouro de lábio leporino. Por um instante me vi refletida em seus olhos facetados. Fez meia-volta e se escondeu no fundo da fresta. Levantei a pedra: o besouro tinha desaparecido, mas no tufo raso vi uma folha que nunca encontrara antes, única. Solitária. Mas que folha era aquela? Tinha a forma aguda de uma foice, o verde do dorso com pintas vermelhas irregulares como pingos de sangue. Uma pequena foice ensanguentada — foi no que se transformou o besouro? Escondi a folha no bolso, peça principal de um jogo confuso. Essa eu não juntaria às outras folhas, essa tinha que ficar comigo, segredo que não podia ser visto. Nem tocado. Tia Clotilde previa os destinos mas eu podia modificá-los, assim, assim! E desfiz na sola do sapato o ninho de cupins que se armava debaixo da amendoeira. Fui andando solene porque no bolso onde levara o amor levava agora a morte.

Tia Marita veio ao meu encontro, mais aflita e gaguejante do que de costume. Antes de falar já começou a rir: "Acho que vamos perder nosso botânico, sabe quem chegou? A amiga, a mesma moça que Clotilde viu na mão dele, lembra? Os dois vão embora no trem da tarde, ela é linda como os amores, bem que Clotilde viu uma moça igualzinha, estou toda arrepiada, olha aí, me pergunto como a mana adivinha uma coisa dessas!"

Deixei na escada os sapatos pesados de barro. Larguei o cesto. Tia Marita me enlaçou pela cintura enquanto se esforçava para lembrar o nome da recém-chegada, um nome de flor, como era mesmo? Fez uma pausa para estranhar minha cara branca, e esse brancor de repente? Respondi que voltara correndo, a boca estava seca e o coração fazia um tuntum tão alto, ela não estava ouvindo? Encostou o ouvido no meu peito e riu se sacudindo inteira, quando tinha minha idade pensa que também não vivia assim aos pulos?

Fui me aproximando da janela. Através do vidro (poderoso como a lupa) vi os dois. Ela sentada com o álbum provisório de folhas no colo. Ele, de pé e um pouco atrás da cadeira, acariciando-lhe o pescoço, e seu olhar era o mesmo que tinha para as folhas escolhidas, a mesma leveza de dedos indo e vindo no veludo da malva-maçã. O vestido não era verde mas os cabelos soltos tinham o reflexo de cobre que transparecera na mão. Quando me viu, veio até a varanda no seu andar calmo. Mas vacilou quando disse que esse era o nosso último cesto, por acaso não tinham me avisado? O chamado era urgente, teriam que voltar nessa tarde. Sentia muito perder tão devotada ajudante, mas um dia, quem sabe?... Precisaria agora perguntar à tia Clotilde em que linha do destino aconteciam os reencontros.

Estendi-lhe o cesto, mas ao invés de segurar o cesto, segurou meu pulso: eu estava escondendo alguma coisa, não estava? O que estava escondendo, o quê? Tentei me livrar fugindo para os lados, aos arrancos, não estou escondendo nada, me larga! Ele me soltou mas continuou ali, de pé, sem tirar os olhos de mim.

Encolhi quando me tocou no braço: "E o nosso trato de só dizer a verdade? Hein? Esqueceu nosso trato?", perguntou baixinho.

Enfiei a mão no bolso e apertei a folha, intacta a umidade pegajosa da ponta aguda, onde se concentravam as nódoas vermelhas. Ele esperava. Eu quis então arrancar a toalha de crochê da mesinha, cobrir com ela a cabeça e fazer micagens, hi hi! hu hu!, até vê-lo rir pelos buracos da malha, quis pular da escada e sair correndo em ziguezague até o córrego, me vi atirando a foice na água, que sumisse na correnteza! Fui levantando a cabeça. Ele continuava esperando, e então? No fundo da sala, a moça também esperava numa névoa de ouro, tinha rompido o sol. Encarei-o pela última vez, sem remorso, quer mesmo? Entreguei-lhe a folha.

POMBA ENAMORADA OU UMA HISTÓRIA DE AMOR

Encontrou-o pela primeira vez quando foi coroada princesa no Baile da Primavera e assim que o coração deu aquele tranco e o olho ficou cheio d'água pensou: acho que vou amar ele pra sempre. Ao ser tirada teve uma tontura, enxugou depressa as mãos molhadas de suor no corpete do vestido (fingindo que alisava alguma prega) e de pernas bambas abriu-lhe os braços e o sorriso. Sorriso meio de lado, para esconder a falha do canino esquerdo que prometeu a si mesma arrumar no dentista do Rôni, o Doutor Élcio, isso se subisse de ajudante para cabeleireira. Ele disse apenas meia dúzia de palavras, tais como, Você é que devia ser a rainha porque a rainha é uma bela bosta, com o perdão da palavra. Ao que ela respondeu que o namorado da rainha tinha comprado todos os votos, infelizmente não tinha namorado e mesmo que tivesse não ia adiantar nada porque só conseguia coisas a custo de muito sacrifício, era do signo de Capricórnio e os desse signo têm que lutar o dobro pra vencer. Não acredito nessas babaquices, ele disse, e pediu licença pra fumar lá fora, já estavam dançando o bis da *Valsa dos Miosótis* e estava quente pra danar. Ela deu a licença. Antes não desse, diria depois à rainha enquanto voltavam pra casa. Isso porque depois dessa licença não conseguiu mais botar os olhos nele, embora o procurasse por todo o salão e com tal empenho que o diretor do clube veio lhe perguntar o que tinha perdido. Meu namorado, ela disse rindo, quando ficava nervosa, ria sem motivo. Mas o Antenor é seu namorado?, estranhou o diretor apertando-a com força enquanto dançavam *Nosotros*. É que ele saiu logo depois da valsa, todo atracado com uma escurinha de frente única, informou com ar distraído. Um cara legal mas que não esquentava o rabo em nenhum emprego, no começo do ano era motorista de ônibus, mês passado era borracheiro numa oficina da Praça Marechal Deodoro mas agora estava numa loja de acessórios na Guaianases, quase esquina da General Osório, não sabia o número mas era fácil de achar. Não foi fácil assim ela pensou quando o encontrou no fundo da oficina, polindo uma peça. Não a reconheceu, em que podia servi-la? Ela começou a rir, Mas eu sou a princesa do São Paulo Chique, lembra? Ele lembrou enquanto sacudia a cabeça impressionado, Mas ninguém tem este endereço, porra, como é que você conseguiu? E levou-a até a porta: tinha um monte assim de serviço, andava sem tempo pra se coçar mas agradecia a visita, deixasse o telefone, tinha aí um lápis? Não fazia mal, guardava qualquer número, numa hora dessas dava uma ligada, tá? Não deu. Ela foi à Igreja dos Enforcados, acendeu sete velas para as almas mais aflitas e começou a Novena Milagrosa em louvor de Santo Antônio, isso depois de telefonar várias vezes só pra ouvir a voz dele. No primeiro sábado em que o horóscopo anunciou um dia maravilhoso para os nativos de Capricórnio, aproveitando a ausência da dona do salão de beleza que saíra para pentear uma noiva, telefonou de novo e dessa vez falou, mas tão baixinho que ele precisou gritar, "Fala mais alto, merda, não estou escutando nada." Ela então se assustou com o grito e colocou o fone no gancho, delicadamente. Só se animou com a dose de vermute que o Rôni foi buscar na esquina, e então tentou novamente justo na hora em que houve uma batida na rua e todo mundo foi espiar na janela. Disse que era a princesa do baile, riu quando negou ter ligado outras vezes e convidou-o pra ver um filme nacional muito interessante que estava passando ali mesmo, perto da oficina dele, na São João. O silêncio do outro lado foi tão profundo que o Rôni deu-lhe depressa uma segunda dose, Beba, meu bem, que você está quase desmaiando. Acho que caiu a linha, ela sussurrou, apoiando-se na mesa, meio tonta. Senta, meu bem, deixa eu ligar pra você, ele se ofereceu bebendo o resto do vermute e falando com a boca quase colada ao fone: Aqui é o Rôni, coleguinha da princesa, você sabe, ela não está nada brilhante e por isso eu vim falar no lugar dela, nada de grave, graças a Deus, mas a pobre está tão ansiosa por uma resposta, lógico. Em voz baixa, amarrada (assim do tipo de voz dos mafiosos do cinema, a gente sente uma *coisa*, diria o Rôni mais tarde, revirando os olhos), ele pediu calmamente que não telefonassem mais pra oficina porque o patrão estava puto da vida e além disso (a voz foi engrossando) não podia namorar com ninguém, estava comprometido, se um dia me der na telha, EU MESMO TELEFONO, certo? Ela que espere, porra. Esperou. Nesses dias de expectativa, escreveu-lhe catorze cartas, nove sob inspiração romântica e as demais calcadas no livro *Correspondência Erótica*, de Glenda Edwin, que o Rôni lhe emprestou com recomendações. Porque agora, querida, a barra é o sexo, se ele (que voz maravilhosa!) é Touro, você tem que dar logo, os de Touro falam muito na lua, nos barquinhos, mas gostam mesmo é de trepar. Assinou Pomba Enamorada, mas na hora de mandar as cartas, rasgou as eróticas, foram só as outras. Ainda durante esse período começou pra ele um suéter de tricô verde, linha dupla (o calor do cão, mas nesta cidade, nunca se sabe) e duas vezes pediu ao Rôni que lhe telefonasse disfarçando a voz, como se fosse o locutor do programa Intimidade no Ar, para avisar que em tal e tal horário nobre a Pomba Enamorada tinha lhe dedicado um bolero especial. É muito, muito macho, comentou o Rôni com um sorriso pensativo depois que desligou. E só devido a muita insistência acabou contando que ele bufou de ódio e respondeu que não queria ouvir nenhum bolero do caralho, Diga a ela que viajei, que morri! Na noite em que terminou a novela com o Doutor Amândio felicíssimo ao lado de Laurinha, quando depois de tantas dificuldades venceu o amor verdadeiro, ela enxugou as lágrimas, acabou de fazer a barra do vestido novo e no dia seguinte, alegando cólicas fortíssimas, saiu mais cedo pra cercá-lo na saída do serviço. Chovia tanto que quando chegou já estava esbagaçada e com o cílio postiço só no olho esquerdo, o do direito já tinha se perdido no aguaceiro. Ele a puxou pra debaixo do guarda--chuva, disse que estava putíssimo porque o Corinthians tinha perdido e entredentes lhe perguntou onde era seu ponto de ônibus. Mas a gente podia entrar num cinema, ela convidou, segurando tremente no seu braço, as lágrimas se confundindo com a chuva. Na Conselheiro Crispiniano, se não estava enganada, tinha em cartaz um filme muito interessante, ele não gostaria de esperar a chuva passar num cinema? Nesse momento ele enfiou o pé até o tornozelo numa poça funda, duas vezes repetiu, essa filha da puta de chuva e empurrou-a para o ônibus estourando de gente e fumaça. Antes, falou bem dentro do seu ouvido que não o perseguisse mais porque já não estava aguentando, agradecia a camisa, o chaveirinho, os ovos de Páscoa e a caixa de lenços mas não queria namorar com ela porque estava namorando com outra. Me tire da cabeça, pelo amor de Deus, PELO AMOR DE DEUS! Na próxima esquina, ela desceu do ônibus, tomou condução no outro lado da rua, foi até a Igreja dos Enforcados, acendeu mais treze velas e quando chegou em casa pegou o Santo Antônio de gesso, tirou o filhinho dele, escondeu-o na gaveta da cômoda e avisou que enquanto Antenor não a procurasse não o soltava nem lhe devolvia o menino. Dormiu banhada em lágrimas, a meia de lã enrolada no pescoço por causa da dor de garganta, o retratinho de Antenor, três por quatro (que roubou da sua ficha de sócio do São Paulo Chique), com um galhinho de arruda, debaixo do travesseiro. No dia do Baile das Hortências, comprou um ingresso para cavalheiro, gratificou o bilheteiro que fazia ponto na Guaianases pra que levasse o ingresso na oficina e pediu à dona do salão que lhe fizesse o penteado da Catherine Deneuve que foi capa do último número de *Vidas Secretas*. Passou a noite olhando para a porta de entrada do baile. Na tarde seguinte comprou o disco *Ave-Maria dos Namorados* na liquidação, escreveu no postal a frase que Lucinha diz ao Mário na cena da estação, *Te amo hoje mais do que ontem e menos do que amanhã*, assinou P. E. e depois de emprestar dinheiro do Rôni foi deixar na encruzilhada perto da casa de Alzira o que o Pai Fuzô tinha lhe pedido há duas semanas pra se alegrar e cumprir os destinos: uma garrafa de champagne e um pacote de cigarro Minister. Se ela quisesse um trabalho mais forte, podia pedir, Alzira ofereceu. Um exemplo? Se cosesse a boca de um sapo, o cara começaria a secar, secar e só parava o definhamento no dia em que a procurasse, era tiro e queda. Só de pensar em fazer uma ruindade dessas ela caiu em depressão, imagine, como é que podia desejar uma coisa assim horrível pro homem que amava tanto? A preta respeitou sua vontade mas lhe recomen-

dou usar alho virgem na bolsa, na porta do quarto e reservar um dente pra enfiar lá dentro. Lá *dentro*?, ela se espantou, e ficou ouvindo outras simpatias só por ouvir, porque essas eram impossíveis para uma moça virgem: como ia pegar um pelo das injúrias dele pra enlear com o seu e enterrar os dois assim enleados em terra de cemitério? No último dia do ano, numa folga que mal deu pra mastigar um sanduíche, Rôni chamou-a de lado, fez um agrado em seus cabelos (Mas que macios, meu bem, foi o banho de óleo, foi?) e depois de lhe tirar da mão a xícara de café contou que Antenor estava de casamento marcado para os primeiros dias de janeiro. Desmaiou ali mesmo, em cima da freguesa que estava no secador. Quando chegou em casa, a vizinha portuguesa lhe fez uma gemada (A menina está que é só osso!) e lhe ensinou um feitiço infalível, por acaso não tinha um retrato do animal? Pois colasse o retrato dele num coração de feltro vermelho e quando desse meio-dia tinha que cravar três vezes a ponta de uma tesoura de aço no peito do ingrato e dizer fulano, fulano, como se chamava ele, Antenor? Pois, na hora dos pontaços, devia dizer com toda fé, Antenor, Antenor, Antenor, não vais comer nem dormir nem descansar enquanto não vieres me falar! Levou ainda um pratinho de doces pra São Cosme e São Damião, deixou o pratinho no mais florido dos jardins que encontrou pelo caminho (tarefa dificílima porque os jardins públicos não tinham flores e os particulares eram fechados com a guarda de cachorros) e foi vê-lo de longe na saída da oficina. Não pôde vê-lo porque (soube através de Gilvan, um chofer de praça muito bonzinho, amigo de Antenor) nessa tarde ele se casava com uma despedida íntima depois do religioso, no São Paulo Chique. Dessa vez não chorou: foi ao crediário Mappin, comprou um licoreiro, escreveu um cartão desejando-lhe todas as felicidades do mundo, pediu ao Gilvan que levasse o presente, escreveu no papel de seda do pacote um P. E. bem grande (tinha esquecido de assinar o cartão) e quando chegou em casa bebeu soda cáustica. Saiu do hospital cinco quilos mais magra, amparada por Gilvan de um lado e por Rôni do outro, o táxi de Gilvan cheio de lembrancinhas que o pessoal do salão lhe mandou. Passou, ela disse a Gilvan num fio de voz. Nem penso mais nele, acrescentou, mas prestou bem atenção em Rôni quando ele contou que agora aquele vira-
-folha era manobrista de um estacionamento da Vila Pompeia, parece que

ficava na rua Tito. Escreveu-lhe um bilhete contando que quase tinha morrido mas se arrependia do gesto tresloucado que lhe causara uma queimadura no queixo e outra na perna, que ia se casar com Gilvan que tinha sido muito bom no tempo em que esteve internada e que a perdoasse por tudo o que aconteceu. Seria melhor que ela tivesse morrido porque assim parava de encher o saco, Antenor teria dito quando recebeu o bilhete que picou em mil pedaços, isso diante de um conhecido do Rôni que espalhou a notícia na festa de São João do São Paulo Chique. Gilvan, Gilvan, você foi a minha salvação, ela soluçou na noite de núpcias enquanto fechava os olhos para se lembrar melhor daquela noite em que apertou o braço de Antenor debaixo do guarda-chuva. Quando engravidou, mandou-lhe um postal com uma vista do Cristo Redentor (ele morava agora em Piracicaba com a mulher e as gêmeas) comunicando-lhe o quanto estava feliz numa casa modesta mas limpa, com sua televisão a cores, seu canário e seu cachorrinho chamado Perereca. Assinou por puro hábito porque logo em seguida riscou a assinatura, mas levemente, deixando sob a tênue rede de risquinhos a *Pomba Enamorada* e um coração flechado. No dia em que Gilvanzinho fez três anos, de lenço na boca (estava enjoando por demais nessa sua segunda gravidez) escreveu-lhe uma carta desejando-lhe todas as venturas do mundo como chofer de uma empresa de ônibus da linha Piracicaba-São Pedro. Na carta, colou um amor-perfeito seco. No noivado de sua caçula Maria Aparecida, só por brincadeira, pediu que uma cigana muito famosa no bairro deitasse as cartas e lesse seu futuro. A mulher embaralhou as cartas encardidas, espalhou tudo na mesa e avisou que se ela fosse no próximo domingo à estação rodoviária veria chegar um homem que iria mudar por completo sua vida, Olha ali, o Rei de Paus com a Dama de Copas do lado esquerdo. Ele devia chegar num ônibus amarelo e vermelho, podia ver até como era, os cabelos grisalhos, costeleta. O nome começava com a letra *A*, olha aqui o Ás de Espadas com a primeira letra do seu nome. Ela riu seu risinho torto (a falha do dente já preenchida, mas ficou o jeito) e disse que tudo isso era passado, que já estava ficando velha demais pra pensar nessas bobagens mas no domingo marcado deixou a neta com a comadre, vestiu o vestido azul-turquesa das bodas de prata, deu uma espiada no horóscopo do dia (não podia ser melhor) e foi.

SEMINÁRIO DOS RATOS

*Que século, meu Deus! — exclamaram os ratos
e começaram a roer o edifício.*

CARLOS DRUMMOND DE ANDRADE

O Chefe das Relações Públicas, um jovem de baixa estatura, atarracado, sorriso e olhos extremamente brilhantes, ajeitou o nó da gravata vermelha e bateu de leve na porta do Secretário do Bem-Estar Público e Privado:

— Excelência?

O Secretário do Bem-Estar Público e Privado pousou o copo de leite na mesa e fez girar a poltrona de couro. Suspirou. Era um homem descorado e flácido, de calva úmida e mãos acetinadas. Lançou um olhar comprido para os próprios pés, o direito calçado, o esquerdo metido num grosso chinelo de lã com debrum de pelúcia.

— Pode entrar — disse ao Chefe das Relações Públicas que já espiava pela fresta da porta. Entrelaçou as mãos na altura do peito. — Então? Correu bem o coquetel?

Tinha a voz branda, com um leve acento lamurioso. O jovem empertigou-se. Um ligeiro rubor cobriu-lhe o rosto bem escanhoado.

— Tudo perfeito, Excelência. Perfeito. Foi no Salão Azul, que é menor, Vossa Excelência sabe. Poucas pessoas, só a cúpula, ficou uma reunião assim aconchegante, íntima, mas muito agradável. Fiz as apresentações, bebericou-se e — consultou o relógio — veja, Excelência, nem seis horas e já se dispersaram. O Assessor da Presidência da Ratesp está instalado na ala norte, vizinho do Diretor das Classes Conservadoras Armadas e Desarmadas, que está ocupando a suíte cinzenta. Já a Delegação Americana achei conveniente instalar na ala sul. Por sinal, deixei-os há pouco na piscina, o crepúsculo está deslumbrante, Excelência, deslumbrante!

— O Senhor disse que o Diretor das Classes Conservadoras Armadas e Desarmadas está ocupando a suíte cinzenta. Por que *cinzenta*?

O jovem pediu licença para se sentar. Puxou a cadeira, mas conservou uma prudente distância da almofada onde o secretário pousara o pé metido no chinelo. Pigarreou.

— *Bueno*, escolhi as cores pensando nas pessoas — começou com certa hesitação. Animou-se: — A suíte do Delegado Americano, por exemplo, é rosa-forte. Eles gostam das cores vivas. Para a de Vossa Excelência, escolhi este azul-pastel, mais de uma vez vi Vossa Excelência de gravata azul... Já para a suíte norte me ocorreu o cinzento, Vossa Excelência não gosta da cor cinzenta?

O Secretário moveu com dificuldade o pé estendido na almofada. Levantou a mão. Ficou olhando a mão.

— É a cor deles. *Rattus Alexandrius*.

— Dos conservadores?

— Não, dos ratos. Mas, enfim, não tem importância, prossiga, por favor. O senhor dizia que os americanos estão na piscina, por que *os*? Veio mais de um?

— Pois com o Delegado de Massachusetts veio também a secretária, uma jovem. E veio ainda um ruivo de terno xadrez, tipo um pouco de boxer, meio calado, está sempre ao lado dos dois. Suponho que é um guarda-costas, mas é simples suposição, Excelência, o cavalheiro em questão é uma incógnita. Só falam inglês. Aproveitei para conversar com eles, completei há pouco meu curso de inglês para executivos. Se os debates forem em inglês, conforme já foi aventado, darei minha colaboração. Já o castelhano eu domino perfeitamente, enfim, Vossa Excelência sabe, Santiago, Buenos Aires...

— Fui contra a indicação. Desse americano — atalhou o Secretário num tom suave mas infeliz. — Os ratos são nossos, as soluções têm que ser nossas. Por que botar todo mundo a par das nossas mazelas? Das nossas deficiências? Devíamos só mostrar o lado positivo não apenas da sociedade mas da nossa família. De nós mesmos — acrescentou apontando para o pé em cima da almofada. — Por que não apareci ainda, por quê? Porque simplesmente não quero que me vejam indisposto, de pé inchado, mancando. Amanhã calço o sapato para a instalação, de bom grado faço esse sacrifício. O senhor, que é um candidato em potencial, desde cedo precisa ir aprendendo essas coisas, moço. Mostrar só o lado positivo, só o que pode nos enaltecer. Esconder nossos chinelos.

— Mas Vossa Excelência me permite, esse americano é um técnico em ratos, nos Estados Unidos também têm muito, ele poderá nos trazer sugestões preciosas. Aliás, estive sabendo que é um *expert* em jornalismo eletrônico.

— Pior ainda. Vai sair buzinando por aí — suspirou o Secretário, tentando mudar a posição do pé. — Enfim, não tem importância. Prossiga, prossiga, queria que me informasse sobre a repercussão. Na imprensa, é óbvio.

O Chefe das Relações Públicas pigarreou discretamente, murmurou um *bueno* e apalpou os bolsos. Pediu licença para fumar.

— *Bueno*, é do conhecimento de Vossa Excelência que causou espécie o fato de termos escolhido este local. Por que instalar o VII Seminário dos Roedores numa casa de campo, completamente isolada? Essa a primeira indagação geral. A segunda é que gastamos demais para tornar esta mansão habitável, um desperdício quando podíamos dispor de outros locais já prontos. O noticiarista de um vespertino, marquei bem a cara dele, Excelência, esse chegou a ser insolente quando rosnou que tem tanto edifício em disponibilidade, que as implosões até já se multiplicam para corrigir o excesso. E nós gastando milhões para restaurar esta ruína...

O secretário passou o lenço na calva e procurou se sentar mais confortavelmente. Começou um gesto que não se completou.

— Gastando milhões? Bilhões estão consumindo esses demônios, por acaso ele ignora as estatísticas? Estou apostando como é da esquerda, estou apostando. Ou, então, amigo dos ratos. Enfim, não tem importância, prossiga, por favor.

— Mas são essas as críticas mais severas, Excelência. Bisonhices. Ah, e aquela eterna tecla que não cansam de bater, que já estamos no VII Seminário e até agora, nada de objetivo, que a população ratal já se multiplicou sete mil vezes depois do I Seminário, que temos agora cem ratos para cada habitante, que nas favelas não são as Marias mas as ratazanas que andam de lata d'água na cabeça — acrescentou contendo uma risadinha.

— O de sempre... Não se conformam é de nos reunirmos em local retirado, que devíamos estar lá no centro, dentro do problema. Nosso Assessor de Imprensa já esclareceu o óbvio, que este Seminário é o Quartel-General de uma verdadeira batalha! E que traçar as coordenadas de uma ação conjunta deste porte exige meditação. Lucidez. Onde poderiam os senhores trabalhar senão aqui, respirando um ar que só o campo pode oferecer? Nesta bendita solidão, em contato íntimo com a natureza... O Delegado de Massachusetts achou genial essa ideia do encontro em pleno campo. Um moço muito gentil, tão simples. Achou excelente nossa piscina térmica, Vossa Excelência sabia? Foi campeão de nado de peito, está lá se divertindo, adorou nossa água de coco! Contou-me uma coisa curiosa, que os ratos do Polo Norte têm pelos deste tamanho para aguentar o frio de trinta abaixo de zero, se guarnecem de peliças, os marotos. Podiam viver em Marte, uma saúde de ferro!

O Secretário parecia pensar em outra coisa quando murmurou evasivamente um "enfim". Levantou o dedo pedindo silêncio. Olhou com desconfiança para o tapete. Para o teto.

— Que barulho é esse?
— Barulho?
— Um barulho esquisito, não está ouvindo?

O Chefe da Relações Públicas voltou a cabeça, concentrado.

— Não estou ouvindo nada...
— Já está diminuindo — disse o Secretário, baixando o dedo almofadado. — Agora parou. Mas o senhor não ouviu? Um barulho tão esquisito, como se viesse do fundo da terra, subiu depois para o teto... Não ouviu mesmo?

O jovem arregalou os olhos de um azul inocente.

— Absolutamente nada, Excelência. Mas foi aqui no quarto?
— Ou lá fora, não sei. Como se alguém... — Tirou o lenço, limpou a boca e suspirou profundamente. — Não me espantaria nada se cismassem de instalar aqui algum gravador. O senhor se lembra, esse Delegado americano...

— Mas Excelência, ele é convidado do Diretor das Classes Armadas e Desarmadas!

— Não confio em ninguém. Em quase ninguém — corrigiu o Secretário num sussurro. Fixou o olhar suspeitoso na mesa. Nos baldaquins azuis da cama. — Onde essa gente está, tem sempre essa praga de gravador. Enfim, não tem importância, prossiga, por favor. E o Assessor de Imprensa?

— *Bueno*, ontem à noite ele sofreu um pequeno acidente, Vossa Excelência sabe como anda o nosso trânsito! Teve que engessar um braço. Só pode chegar amanhã, já providenciei o jatinho — acrescentou o jovem com energia. — Na retaguarda fica toda uma equipe armada para a cobertura. Nosso Assessor vai pingando o noticiário por telefone, criando suspense até o encerramento, quando virão todos num jato especial, fotógrafos, canais de televisão, correspondentes estrangeiros, uma apoteose. *Finis coronat opus*, o fim coroa a obra!

— Só sei que ele já deveria estar aqui, começa mal — lamentou o Secretário inclinando-se para o copo de leite. Tomou um gole e teve uma expressão desaprovadora. — Enfim, o que me preocupava muito era ficarmos incomunicáveis. Não sei mesmo se essa ideia do Assessor da Presidência da Ratesp vai funcionar, isso de deixarmos os jornalistas longe. Tenho minhas dúvidas.

— Vossa Excelência vai me perdoar, mas penso que a cúpula se valoriza ficando assim inacessível. Aliás, é sabido que uma certa distância, um certo mistério excita mais do que o contato diário com os meios de comunicação. Nossa única fonte vai soltando notícias discretas, influindo sem alarde até o encerramento, quando abriremos as baterias! Não é uma boa tática?

Com dedos tamborilantes, o Secretário percorreu vagamente os botões do colete. Entrelaçou as mãos e ficou olhando as unhas polidas.

— Boa tática, meu jovem, é influenciar no começo e no fim todos os meios de comunicação do país. Esse é o objetivo. Que já está prejudicado com esse assessor de perna quebrada.

— Braço, Excelência. O antebraço, mais precisamente.

O Secretário moveu penosamente o corpo para a direita e para a esquerda. Enxugou a testa. Os dedos. Ficou olhando para o pé em cima da almofada.

— Hoje mesmo o senhor poderia lhe telefonar para dizer que estrategicamente os ratos já se encontram sob controle. Sem detalhes, enfatize apenas isto, que os ratos já estão sob inteiro controle. A ligação é demorada?

— *Bueno*, cerca de meia hora. Peço já, Excelência?

O Secretário foi levantando o dedo. Abriu a boca. Girou a cadeira em direção da janela. Com o mesmo gesto lento, foi se voltando para a lareira.

— Está ouvindo? Está ouvindo? O barulho. Ficou mais forte agora!

O jovem levou a mão à concha da orelha. A testa ruborizou-se no esforço da concentração. Levantou-se e andou na ponta dos pés.

— Vem daqui, Excelência? Não consigo perceber nada!

— Aumenta e diminui. Olha aí, em ondas, como um mar... Agora parece um vulcão respirando, aqui perto e ao mesmo tempo tão longe! Está fugindo, olha aí... — tombou para o espaldar da poltrona, exausto. Enxugou o queixo úmido. — Quer dizer que o senhor não ouviu nada?

O Chefe das Relações Públicas arqueou as sobrancelhas perplexas. Espiou dentro da lareira. Atrás da poltrona. Levantou a cortina da janela e olhou para o jardim.

— Tem dois empregados lá no gramado, motoristas, creio... Ei, vocês aí!... — chamou, estendendo o braço para fora. Fechou a janela. — Sumiram. Pareciam agitados, talvez discutissem, mas suponho que nada tenham a ver com o barulho. Não ouvi coisa alguma, Excelência. Escuto tão mal deste ouvido!

— Pois eu escuto demais, devo ter um ouvido suplementar. Tão fino. Quando fiz a Revolução de 32 e, depois, no Golpe de 64, era sempre o primeiro do grupo a pressentir qualquer anormalidade. O primeiro! Lembro que uma noite avisei meus companheiros, o inimigo está aqui com a gente, e eles riram, bobagem, você bebeu demais, tínhamos tomado no jantar um vinho delicioso. Pois quando saímos para dormir, estávamos cercados.

O Chefe das Relações Públicas teve um olhar de suspeita para a estatueta de bronze em cima da lareira, uma opulenta mulher de olhos vendados, empunhando a espada e a balança. Estendeu a mão até a balança. Passou o dedo num dos pratos empoeirados. Olhou o dedo e limpou-o com um gesto furtivo no espaldar da poltrona.

— Vossa Excelência quer que eu vá fazer uma sondagem?

O Secretário estendeu doloridamente a perna. Suspirou.

— Enfim, não tem importância. Nestas minhas crises sou capaz de ouvir alguém riscando um fósforo na sala.

Entre consternado e tímido, o jovem apontou para o pé enfermo.

— É algo... grave?

— A gota.

— E dói, Excelência?

— Muito.

— *Pode ser a gota d'água! Pode ser a gota d'água!* — cantarolou ele, ampliando o sorriso que logo esmoreceu no silêncio taciturno que se seguiu à sua intervenção musical. Pigarreou. Ajustou o nó da gravata. — *Bueno*, é uma canção que o povo canta por aí.

— O povo, o povo — disse o Secretário do Bem-Estar Público, entrelaçando as mãos. A voz ficou um brando queixume. — Só se fala em povo e no entanto o povo não passa de uma abstração.

— Abstração, Excelência?

— Que se transforma em realidade quando os ratos começam a expulsar os favelados de suas casas. Ou a roer os pés das crianças da periferia, então, sim, *o povo* passa a existir nas manchetes da imprensa de esquerda. Da imprensa marrom. Enfim, pura demagogia. Aliada às bombas dos subversivos, não esquecer esses bastardos que parecem ratos — suspirou o Secretário, percorrendo languidamente os botões do colete. Desabotoou o último. — No Egito antigo, resolveram esse problema aumentando o número de gatos. Não sei por que aqui não se exige mais da iniciativa privada, se cada família tivesse em casa um ou dois gatos esfaimados...

— Mas, Excelência, não sobrou nenhum gato na cidade, já faz tempo que a população comeu tudo. Ouvi dizer que dava um ótimo cozido!

— Enfim — sussurrou o Secretário, esboçando um gesto que não completou. — Está escurecendo, não?

O jovem levantou-se para acender as luzes. Seus olhos sorriam intensamente.

— E à noite, todos os gatos são pardos! Depois, sério. — Quase sete horas, Excelência! O jantar será servido às oito, a mesa decorada só com orquídeas e frutas. A mais fina cor local, encomendei do norte abacaxis belíssimos! E as lagostas, então? O Cozinheiro-Chefe ficou entusiasmado, nunca viu lagostas tão grandes. *Bueno*, eu tinha pensado num vinho nacional que anda de primeiríssima qualidade, diga-se de passagem, mas me veio um certo receio: e se der alguma dor de cabeça? Por um desses azares, Vossa Excelência já imaginou? Então achei prudente encomendar vinho chileno.

— De que safra?

— De Pinochet, naturalmente.

O Secretário do Bem-Estar Público e Privado baixou o olhar ressentido para o próprio pé.

— Para mim um caldo sem sal, uma canjinha rala. Mais tarde talvez um... — emudeceu. A cara pasmada foi-se voltando para o jovem: — Está ouvindo agora? Está mais forte, ouviu isso? Fortíssimo!

O Chefe das Relações Públicas levantou-se de um salto. Apertou entre as mãos a cara ruborizada.

— Mas claro, Excelência, está repercutindo aqui no assoalho, o assoalho está tremendo! Mas o que é isso?!

— Eu não disse, eu não disse? — perguntou o Secretário. Parecia satisfeito: — Nunca me enganei, nunca! Já faz horas que estou ouvindo coisas, mas não queria dizer nada, podiam pensar que fosse delírio. Olha aí agora! Parece até que estamos em zona vulcânica, como se um vulcão fosse irromper aqui embaixo...

— Vulcão?

— Ou uma bomba, têm bombas que antes de explodir dão avisos!

— Meu Deus — exclamou o jovem. Correu para a porta. — Vou verificar imediatamente, Excelência. Não se preocupe, não há de ser nada, com licença, volto logo. Meu Deus, zona vulcânica?!...

Quando fechou a porta atrás de si, abriu-se a porta em frente e pela abertura introduziu-se uma carinha louramente risonha. Os cabelos estavam presos no alto por um laçarote de bolinhas amarelas.

— *What is that?*

— *Perhaps nothing... perhaps something...* — respondeu ele, abrindo o sorriso automático. Acenou com um frêmito de dedos imitando asas. — *Supper at eight*, Miss Gloria!

Apressou o passo quando viu o Diretor das Classes Conservadoras Armadas e Desarmadas que vinha com seu chambre de veludo verde. Encolheu-se para lhe dar passagem, fez uma mesura, "Excelência", e quis prosseguir mas teve a passagem barrada pela montanha veludosa.

— Que barulho é esse?

— *Bueno*, também não sei, Excelência, é o que vou verificar. Volto num instante. Não é mesmo estranho? Tão forte!

O Diretor das Classes Conservadoras Armadas e Desarmadas farejou o ar:

— E esse cheiro? O barulho diminuiu, mas não está sentindo um cheiro? Franziu a cara. — Uma maçada! Cheiros, barulhos e o telefone que não funciona... Por que o telefone não está funcionando? Preciso me comunicar com a Presidência e não consigo, o telefone está mudo!

— Mudo? Mas fiz dezenas de ligações hoje cedo... Vossa Excelência já experimentou o do Salão Azul?

— Venho de lá. Também está mudo, uma maçada! Procure meu motorista, veja se o telefone do meu carro está funcionando, tenho que fazer essa ligação urgente.

— Fique tranquilo, Excelência. Vou tomar providências e volto em seguida. Com licença, sim? — fez o jovem, esgueirando-se numa mesura rápida. Enveredou pela escada. Parou no primeiro lance: — Mas o que significa isso? Pode me dizer o que significa isso?

Esbaforido, sem o gorro e com o avental rasgado, o Cozinheiro-Chefe veio correndo pelo saguão. O jovem fez um gesto enérgico e precipitou-se ao seu encontro.

— Como é que o senhor entra aqui neste estado?

O homem limpou no peito as mãos sujas de suco de tomate.

— Aconteceu uma coisa horrível, doutor! Uma coisa horrível!

— Não grita, o senhor está gritando, calma — e o jovem tomou o Cozinheiro-Chefe pelo braço, arrastou-o a um canto. — Controle-se. Mas o que foi? Sem gritar, não quero histerismo, vamos, calma, o que foi?

— As lagostas, as galinhas, as batatas, eles comeram tudo! Tudo! Não sobrou nem um grão de arroz na panela. Comeram tudo e o que não tiveram tempo de comer levaram embora!

— Mas quem comeu tudo? Quem?

— Os ratos, doutor, os ratos!

— Ratos?!... Que ratos?

O Cozinheiro-Chefe tirou o avental, embolou-o nas mãos.

— Vou-me embora, não fico aqui nem mais um minuto. Acho que a gente está no mundo deles. Pela alma da minha mãe, quase morri de susto quando entrou aquela nuvem pela porta, pela janela, pelo teto, só faltou me levar e mais a Euclídea! Até os panos de prato eles comeram. Só respeitaram a geladeira que estava fechada, mas a cozinha ficou limpa, limpa!

— Ainda estão lá?

— Não, assim como entrou saiu tudo guinchando feito doido. Eu já estava ouvindo fazia um tempinho aquele barulho, me representou um veio d'água correndo forte debaixo do chão, depois martelou, assobiou, a Euclídea que estava batendo maionese pensou que fosse um fantasma quando começou aquela tremedeira e na mesma hora entrou aquilo tudo pela janela, pela porta, não teve lugar que a gente olhasse que não desse com o monte deles guinchando! E cada ratão, viu? Deste tamanho! A Euclídea pulou em cima do fogão, eu pulei em cima da mesa, ainda quis arrancar uma galinha que um deles ia levando assim no meu nariz, taquei o vidro de suco de tomate com toda força e ele botou a galinha de lado, ficou de pé na pata traseira e me enfrentou feito um homem. Pela alma da minha mãe, doutor, me representou um homem vestido de rato!

— Meu Deus, que loucura... E o jantar?!

— Jantar? O senhor disse *jantar*?! Não ficou nem uma cebola! Uma trempe deles virou o caldeirão de lagostas e a lagostada se espalhou no chão, foi aquela festa, não sei como não se queimaram na água fervendo. Cruz-credo, vou-me embora e é já!

— Espera, calma! E os empregados? Ficaram sabendo?

— Empregados, doutor? Empregados? Todo mundo já foi embora, ninguém é louco! E se eu fosse vocês, também me mandava, viu? Não fico aqui nem que me matem!

— Um momento, espera! O importante é não perder a cabeça, está me compreendendo? O senhor volta lá, abre as latas, que as latas ainda ficaram, não ficaram? A geladeira não estava fechada? Então, deve ter alguma coisa, prepare um jantar com o que puder, evidente!

— Não, não! Não fico nem que me matem!

— Espera, eu estou falando: o senhor vai voltar e cumprir sua obrigação. O importante é que os convidados não fiquem sabendo de nada, disso me incumbo eu, está me compreendendo? Vou já até a cidade, trago um estoque de alimentos e uma escolta de homens armados até os dentes, quero ver se vai entrar um mísero camundongo nesta casa, quero ver!

— Mas o senhor vai como? Só se for a pé, doutor.

O Chefe das Relações Públicas empertigou-se. A cara se tingiu de cólera. Apertou os olhinhos e fechou os punhos para soquear a parede, mas interrompeu o gesto quando ouviu vozes no andar superior. Falou quase entredentes.

— Covardes, miseráveis! Quer dizer que os empregados levaram todos os carros? Foi isso, levaram os carros?

— Levaram nada, fugiram a pé mesmo, nenhum carro está funcionando. O José experimentou um por um, viu? Os fios foram comidos, comeram também os fios. Vocês fiquem aí que eu vou pegar a estrada e é já!

O jovem encostou-se na parede, a cara agora estava lívida. "Quer dizer que o telefone..." — murmurou e cravou o olhar estatelado no avental que o Cozinheiro-Chefe largou no chão. As vozes no andar superior começaram a se cruzar. Uma porta bateu com força. Encolheu-se mais no canto quando ouviu seu nome: era chamado aos gritos. Com olhar silencioso foi acompanhando um chinelo de debrum de pelúcia que passou a alguns passos do avental embolado no tapete: o chinelo deslizava, a sola voltada para cima, rápido como se tivesse rodinhas ou fosse puxado por algum fio invisível. Foi a última coisa que viu, porque nesse instante a casa foi sacudida nos seus alicerces. As luzes se apagaram. Então, deu-se a invasão, espessa como se um saco de pedras borrachosas tivesse sido despejado em cima do telhado e agora saltasse por todos os lados numa treva dura de músculos, guinchos e centenas de olhos luzindo negríssimos. Quando a primeira dentada lhe arrancou um pedaço da calça, ele correu sobre o chão enovelado, entrou na cozinha com os ratos despencando na sua cabeça e abriu a geladeira. Arrancou as prateleiras que foi encontrando na escuridão, jogou a lataria para o ar, esgrimiu com uma garrafa contra dois olhinhos que já corriam no vasilhame de verduras, expulsou-os e, num salto, pulou lá dentro. Fechou a porta, mas deixou o dedo na fresta, que a porta não batesse. Quando sentiu a primeira agulhada na ponta do dedo que ficou de fora, substituiu o dedo pela gravata.

No rigoroso inquérito que se processou para apurar os acontecimentos daquela noite, o Chefe das Relações Públicas jamais pôde precisar quanto tempo teria ficado dentro da geladeira, enrodilhado como um feto, a água gelada pingando na cabeça, as mãos endurecidas de câimbra, a boca aberta no mínimo vão da porta que de vez em quando algum focinho tentava forcejar. Lembrava-se, isso sim, de um súbito silêncio que se fez no casarão: nenhum som, nenhum movimento. Nada. Lembrava-se de ter aberto a porta da geladeira. Espiou. Um tênue raio de luar era a única presença na cozinha esvaziada. Foi andando pela casa completamente oca, nem móveis, nem cortinas, nem tapetes. Só as paredes. E a escuridão. Começou então um murmurejo secreto, rascante, que parecia vir da Sala de Debates e teve a intuição de que estavam todos reunidos ali, de portas fechadas. Não se lembrava sequer de como conseguiu chegar até o campo, não poderia jamais reconstituir a corrida, correu quilômetros. Quando olhou para trás, o casarão estava todo iluminado.

A CONFISSÃO DE LEONTINA

Já contei essa história tantas vezes e ninguém quis me acreditar. Vou agora contar tudo especialmente pra senhora que se não pode ajudar pelo menos não fica me atormentando como fazem os outros. É que eu não sou mesmo essa uma que toda gente diz. O jornal me chama de assassina ladrona e tem um que até deu o meu retrato dizendo que eu era a Messalina da boca do lixo. Perguntei pro seu Armando o que era Messalina e ele respondeu que essa foi uma mulher muito à toa. E meus olhos que já não têm lágrimas de tanto que tenho chorado ainda choraram mais.

Seu Armando que é o pianista lá do salão de danças já me aconselhou a não perder a calma e esperar com confiança que a justiça pode tardar mas um dia vem. Respondi então que confiança podia ter nessa justiça que vem dos homens se nunca nenhum homem foi justo para mim. Nenhum. Só o Rogério foi o melhorzinho deles mas assim mesmo me largou da noite pro dia. Me queixei pro seu Armando que tenho trabalhado feito um cachorro e ele riu e perguntou se cachorro trabalha. Não sei, respondi. Sei que trabalhei tanto e aqui me chamam de vagabunda e me dão choque até lá dentro. Sem falar nas porcarias que eles obrigam a gente a fazer. Daí seu Armando disse pra não perder a esperança que não há mal que sempre ature. Então fiquei mais conformada.

Puxa vida que cidade. Que puta de cidade é esta a Rubi vivia dizendo. E dizia ainda que eu devia voltar pra Olhos d'Água porque isto não passa de uma bela merda e se nem ela que tem peito de ferro estava se aguentando imagine então uma bocó de mola feito eu. Mas como eu podia voltar? E voltar pra fazer o quê? Se minha mãe ainda fosse viva e se tivesse o Pedro e minha irmãzinha então está visto que eu voltava correndo. Mas lá não tem mais nada. Voltar é voltar pra casa de dona Gertrudes que só faltava me espetar com o garfo. E nem me pagava porque mal sei ler e por isso meu pagamento era a comida e uns vestidos que ela mesma fazia com as sobras que guardava numa arca.

Engraçado é que agora que estou trancafiada vivo me lembrando daquele tempo e essa lembrança dói mais do que quando me dependuraram de um jeito que fiquei azul de dor. Nossa casa ficava perto da vila e vivia caindo aos pedaços mas bem que era quentinha e alegre. Tinha eu e minha mãe e Pedro. Sem falar na minha irmãzinha Luzia que era meio tontinha. Pedro era meu primo. Era mais velho do que eu mas nunca se aproveitou disso para judiar de mim. Nunca. Até que não era mau mas a verdade é que a gente não podia contar com ele pra nada. Quase não falava. Voltava da escola e se metia no mato com os livros e só vinha para comer e dormir. Parecia estar pensando sempre numa coisa só. Perguntei um dia em que ele tanto pensava e ele respondeu que quando crescesse não ia continuar assim um esfarrapado. Que ia ser médico e importante que nem o doutor Pinho. Caí na risada ah ah ah. Ele me bateu mas me bateu mesmo e me obrigou a repetir tudo o que ele disse que ia ser. Não dê mais risada de mim ficou repetindo não sei quantas vezes e com uma cara tão furiosa que fui me esconder no mato com medo de apanhar mais.

Minha mãe vivia lavando roupa na beira da lagoa. Ela lavava quase toda a roupa da gente da vila mas não se queixava. Nunca vi minha mãe se queixar. Era miudinha e tão magra que até hoje fico pensando onde ia buscar força pra trabalhar tanto. Não parava. Quando tinha aquela dor de cabeça de cegar então amarrava na testa um lenço com rodela de batata crua e fazia o chá que colhia no quintal. Assim que a dor passava ia com a trouxa de roupa pra lagoa. Essa erva do chá a Tita também comia e depois vomitava.

Vou ser médico e a senhora vai viver feito uma rainha o Pedro disse. Rainha rainha rainha eu fiquei gritando e pulando em redor dela e a Tita latia e pulava comigo. Ela então fez que sim com a cabeça e riu com aquele jeito que tinha de esconder a boca.

Eu fazia a comida e cuidava da casa. Minha irmãzinha Luzia bem que podia me ajudar que ela já tinha seis anos mas vivia com a mão suja de terra e sem entender direito o que a gente falava. Queria só ficar esgravatando o chão pra descobrir minhocas. Está visto que sempre encontrava alguma e então ficava um tempão olhando pra minhoca sem deixar que ela se escondesse de novo. Ficou assim desde o dia em que caiu do colo de Pedro e bateu com a cabeça no pé da mesa. Nesse tempo ela ainda engatinhava e Pedro quis fazer aquela brincadeira de upa cavalinho upa. Montou ela nas costas e saiu trotando upa upa sem lembrar que a pobrezinha não sabia se segurar direito. Até que o tombo não foi muito feio mas desde esse dia ela não parou de babar e fuçar a terra procurando as benditas minhocas que às vezes escondia debaixo do travesseiro.

Até a lenha do fogo era eu que catava no mato. Perguntei um dia pra minha mãe por que Pedro não me ajudava ao menos nisso e ela respondeu que o Pedro precisava de estudar pra ser médico e cuidar então da gente. Já que o dinheiro não dava pra todos que ao menos um tinha que subir pra dar a mão pros outros. Quando ele for rico e importante decerto nem vai mais ligar pra nós eu fui logo dizendo e minha mãe ficou pensativa. Pode ser. Pode ser. Mas prometi pra minha irmã na hora da morte que ia cuidar dele melhor do que de você. Estou cumprindo.

Imagine a senhora se minha mãe soubesse que não faz dois anos que encontrei Pedro e que ele fingiu que nem me conhecia. Eu tinha ido visitar minha colega Rubi que piorou do pulmão e foi pra Santa Casa. Levei um pacote de doces e uma revista de anedotas que Rubi tem paixão por anedotas. Foi quando Pedro entrou. Vinha com um moça que devia ser doutora também porque estava com um avental igual o dele. Levei um susto tão grande que quase caí pra trás porque foi demais isso da gente se ver depois de tanto tempo. E como estava alto e bonito com aquele avental. Abri a boca e quis chamar Pedro Pedro. Mas uma coisa me segurou e foi bom porque assim que ele deu comigo foi logo disfarçando depressa com um medo louco que eu me chegasse. Então baixei a cabeça e fingi que estava vendo a revista. Ele foi virando as costas e pegando no braço da doutora e saindo mais apavorado do que se tivesse visto o próprio diabo. Rubi percebeu tudo que Rubi não tem nada de boba e sabe até falar um pouco da língua que aprendeu quando morou aí com um gringo. Quis saber se por acaso aquele lá tinha dormido comigo pra ficar assim atrapalhado perto da bosta da namorada dele. E disse que eu era muito tonta de ficar desse jeito porque já devia estar acostumada com esse tipo de homem que faz aquelas caras pra gente quando a mulher está por perto. Que é que você queria que ele fizesse? Queria que te apresentasse olha aqui a vagabunda que trepou comigo? Era isso que você queria? Então me deu uma bruta vergonha daquela vida que a gente estava levando e que devia mesmo ser uma droga de vida pra Pedro não ter coragem nem de me cumprimentar. Contei tudo pra ela.

Esse teu primo é um grandessíssimo filho da puta. Um filho da puta ela ficou repetindo não sei quantas vezes. Acho você muito melhor do que ele. O grande cão. Ficou cheio de orgulho e fugiu da prima esculhambada mas o caso é que foi essa prima que durante anos e anos fez a comida dele. Veja Leo que se você tivesse dinheiro ele não te desprezava assim por mais à toa que você fosse. O errado não é ficar dando mas dar pra pobre como você dá. Nisso é que está o erro. Mas também não posso falar muito porque sempre fui uma besta e a prova disso é que vim parar nesta enfermaria baixo-astral. Estou acabada Leo. Tenho só 35 anos mas estou podre de velha e você vai direitinho pro mesmo caminho. Não aguentei e abri a boca no mundo. Me mandou parar de chorar e começou a falar tanta asneira que quando chegou a janta a gente já estava rindo de novo. Dividiu comigo a canja de galinha que chamou de canja de defunto porque os médicos matam por engano e pra não contar que foi engano aproveitam a defuntada na canja. Então me lembrei daquela vez que teve galinha e minha mãe deu o peito pra ele. Fiquei com o pescoço. Não me comprava sapato pra que ele pudesse ter livros. E agora ele fugia de mim como se eu tivesse a lepra. E depois a gente não era bem isso o que a Rubi disse porque a gente trabalhava. A gente não trabalha?, perguntei meio ofendida. Sei disso sua tonta ela me respondeu. Mas estamos na zona. Pergunta pros tiras se eles deixam a gente ficar lá de graça pergunta. Sendo da zona é tratada feito vagabunda e está escrito que tem que ser assim.

Mais tarde ela contou que uma noite ele veio conversar na enfermaria. Quis saber o que a gente fazia e mais isso e mais aquilo. Quando a Rubi disse que a gente era dançarina de aluguel ele ficou muito espantado e começou a rir ah ah ah. Quer dizer que tem homens que pagam só pra dançar com vocês? Mas ainda existe esse negócio? E achou graça porque não podia imaginar que justo eu que não sabia nem o que era uma valsa estivesse metida nisso. Rubi tem ódio da palavra valsa por causa de uma coisa que aconteceu e quando escutou essa palavra e viu ele zombando já engrossou e disse que esse era um trabalho tão direito como qualquer outro. O ruim é que pagavam tão pouco que as meninas tinham que continuar a dança na cama pra poder comer no dia seguinte. Avisa a Leontina que quando me encontrar com outras pessoas pra não se aproximar de mim ele recomendou. Se precisar de médico que me procure mas só no meu consultório ele foi dizendo enquanto tirava um cartão do bolso. Aqui não. Rubi então perdeu as tramontanas mas perdeu mesmo. Picou o cartão em pedacinhos e jogou tudo na cara dele. O senhor não passa de um escroto ela respondeu. E não precisa ficar com medo que a Leo nunca mais há de querer falar com um tipo assim ingrato e sujo. Vá pro fundo do inferno com toda a sua importância que a Leo quer ver o diabo e não quer ver o senhor.

Ela me contou isso tão furiosa que me vi na obrigação de ficar furiosa também. Rubi é só bondade e virava um tigre se me faziam alguma mas a verdade é que bem que eu queria guardar aquele endereço e numa hora qualquer ir lá conversar com ele. Ela não entende que a gente foi criado junto que nem irmão. Gosto dele apesar de tudo e por mais que ele faça eu sei que vou continuar gostando igual porque não se arranca o bem-querer do coração. E quem mandou eu ficar nessa vida? Mas também que outra vida eu podia ter senão esta? Mal sei escrever meu nome e qualquer serviço por aí já quer que a gente escreva até na máquina. Não sei como é com as outras moças que nem eu. Só sei que comigo tem sido duro demais e se Pedro soubesse disso quem sabe vinha me fazer uma visitinha e me dizer ao menos uma palavra. Mas já estou presa faz três meses e até agora ele não deu sinal e decerto nem vai dar.

Às vezes fecho meus olhos para ver melhor aquele tempo. Minha mãe tão caladinha com o lenço amarrado na cabeça e a trouxa de roupa. Luzia com as minhocas. Pedro com os livros. E eu tão contente cuidando da casa. Quando tinha flor no campo eu colhia as mais bonitas e botava dentro da garrafinha em cima da mesa porque sabia que Pedro gostava de flor. Lembro de um domingo que minha mãe ganhou uns ovos e fez um bolo. Era tão quente o cheiro daquele bolo e Pedro comeu com tanto gosto e fiquei tão alegre que rodei de alegria quando ele agradou minha mãe e me chamou pra caçar vaga-lume. Anoitecia e a gente ia chacoalhando uma caixinha de fósforo e mentindo pros vaga-lumes numa cantiguinha que era assim *Vaga-lume tem-tem vaga-lume tem-tem tua mãe está aqui e o teu pai também*.

Não conheci meu pai. Morreu antes de você nascer respondia minha mãe sempre que eu perguntava. Mas como ela não queria falar nisso fiquei até hoje sem saber como ele era. Então imaginava que era lindo e bom e podia escolher a cara que devia ter quando me deitava na beira da lagoa e de tardinha ficava olhando o sol no meio das nuvens. Me representava então ver meu pai feito um deus desaparecendo detrás da montanha com sua capa de nuvem num carro de ouro.

No fim do ano tinha festa na escola. Pedro era sempre o primeiro aluno e o diretor vinha então dizer pra minha mãe que não tinha na escola um menino assim inteligente. Nessas horas minha mãe chorava.

Me lembro que uma vez Pedro inventou um festa no teatrinho. Quando acabou corri pra dizer que ele tinha representado melhor do que todos os colegas mas Pedro me evitou. Eu estava mesmo com o vestido rasgado e isso eu reconheço porque minha mãe piorou da dor e tive que passar a manhã inteira fazendo o serviço dela e o meu. Mas achei que Pedro estava tão contente que nem ia reparar no meu jeito. E me cheguei pra perto dele. Ele então fez aquela cara e foi me dando as costas. Essa daí não é a tua irmã? um menino perguntou. Mas Pedro fez que não e foi saindo.

Fiquei sozinha no palco com um sentimento muito grande no coração. Quando voltava pra casa ele me pegou no caminho. Todo mundo já tinha ido embora. Então ele botou a mão no meu ombro e me perguntou se eu tinha gostado e mais isso e mais aquilo. Pedro Pedro por que você fingiu que nem me conhecia? eu quis perguntar. Mas ele estava tão contente e era tão bom quando ele ficava contente que não quis estragar a festa. E fiquei contente também.

Quando cheguei minha mãe estava com o pano amarrado na cabeça e já ia saindo para ir ao Bentão curandeiro. E me lembro agora de uma coisa que parece mentira mas juro que foi assim mesmo. Já contei que a gente tinha uma cachorrinha chamada Tita que era uma belezinha de cachorra. Quando teve a última ninhada achei que emagreceu demais e começou a custar muito pra sarar. Não se importe não que ela vai ficar boa disse minha mãe. Mas uma tarde vi a Tita se levantar do caixotinho dela e ficar parada farejando o ar e olhando lá longe com um jeito tão diferente que até estranhei. Ela apertava os olhinhos e franzia o focinho olhando a estrada. Depois voltava e olhava pros cachorrinhos dentro do caixote. Olhou de novo pra estrada. A testa até franzia de tanta preocupação. Mas de repente resolveu e foi andando firme numa direção só. No dia seguinte foi encontrada morta naquelas bandas pra onde estava olhando. Com minha mãe foi igual. Antes de sair ficou sem saber se ia ou não. Olhou pra mim. Olhou pra Luzia. Olhou comprido pro Pedro. Depois olhou de novo a estrada franzindo a testa que nem a Tita. Parecida mesmo com a Tita medindo o caminho que ia fazer. Senti um aperto forte no coração. Não vai mãe eu quis dizer. Mas ela já tinha pegado a estrada com seu passinho ligeiro. Corri pro Pedro com um pressentimento. Ele estava lendo um livro. Deixa de ser burra que não vai acontecer nada de ruim ele disse sem parar de ler. Vou ser médico pra cuidar dela. Nunca mais vai sentir nenhuma dor ele prometeu. E a Luzia vai deixar de mexer com minhoca e você vai se casar e vai ser feliz ele disse e me mandou coar um café.

Aconteceu tudo ao contrário. Minha mãe caiu na estrada segurando a cabeça e Luzia se afogou quando procurava minhoca e eu estou aqui jogada na cadeia. Fico pensando que ele era mesmo diferente porque só com ele deu tudo certo e agora entendo por que merecia um pedaço de carne maior do que o meu.

Sempre achei a estaçãozinha de Olhos d'Água muito alegre por causa do trem mas naquela manhã não podia haver uma estação mais triste. Esperei que Pedro aparecesse ao menos uma vez na janela pra me dizer adeus. Não apareceu. Fiquei então abanando a mão pra outras pessoas que por sua vez abanavam pra outras pessoas até que o último carro sumiu na curva.

O chefe da estação quis saber pra onde Pedro ia. Contei que a intenção dele era estudar e trabalhar na cidade. Pois vai morrer de fome disse um amigo do chefe que estava escutando a conversa. Fiquei então num estado que nem sei explicar. É que me vi completamente sozinha no mundo e isso foi muito duro pra mim. Acabei me acostumando mas no começo fiquei com medo porque só tinha doze anos. Minha mãe estava enterrada. Assim que ela morreu tive que trabalhar feito louca porque Pedro ia tirar o diploma na escola e precisava de um montão de coisas. Continuei lavando pra fora e tinha ainda que cozinhar e cuidar da minha irmãzinha e catar lenha no mato e colher pinhão quando era tempo de pinhão. Me deitava tão cansada que nem tinha força de lavar a lama do pé. Você está virando um bicho Pedro me disse muitas vezes mas o que eu queria é que ele estivesse limpinho e com a comida na hora certa. Era isso que eu queria. Depois eu me lavo eu respondia. Depois quando? ele perguntava. E eu olhava em redor e via as pilhas de camisa pra passar e engomar e a panela queimando no fogo e minha irmãzinha tendo que ser trocada porque ela fazia tudo na roupa. Quando você tirar o diploma não vou mais lavar pra fora. Então vou poder andar em ordem e até estudar. Era isso o que eu respondia. Foi isso que eu combinei. Mas o combinado não vigorou porque assim que ele tirou o diploma arrumou a trouxa e foi embora.

Aquele ano meu Pai. Quando me lembro daquele ano. Até hoje se escuto falar em diploma me representa que vai começar tudo outra vez. Os meninos recebiam o diploma de tardinha e depois estava marcada a festa. De noite não dava pra ir mas se eu corresse ainda chegava em tempo pra festa de tarde. Não conto o nó que senti na garganta quando vesti o vestido cinzento que minha mãe devia usar no caixão e não usou porque a Cida que arrumou ela disse que o vestido ia servir direitinho em mim. Era um desperdício. Ninguém está vendo se ela vai de vestido velho disse a Cida. Só Deus sabe mas Deus até vai gostar quando ela aparecer pra lavar a alma com o mesmo vestidinho que usava pra lavar roupa. Agora eu estava com a sandália e o vestido dela e pensei que quando Pedro me visse ia pensar nisso também. Mas Pedro estava ocupado demais pra pensar noutra coisa que não fosse o discurso que ia fazer.

Quando comecei a pentear a Luzia ele parou de escrever e fez aquela cara que conheço bem. Ficou me olhando. Mas a Luzia também vai?

Respondi que era preciso porque ela não podia ficar sozinha. Ele não disse nada mas notei que ficou aborrecido porque logo fez aquela cara. É que ele se envergonhava da gente e com razão porque a verdade é que não era mesmo muito agradável mostrar pros colegas uma priminha tonta assim. Confesso que isso me doeu porque a Luzia estava tão lindinha com o cabelo louro todo encacheado caindo até o ombro e o vestidinho novo que fiz com um retalho de fazenda azul que uma freguesa me deu. Pensei em dizer que assim arrumada ninguém podia descobrir que ela não era muito certa da cabeça. Mas Pedro estava de tal jeito que achei melhor deixar a Luzia em casa e ir só com ele.

Estava quase na hora de Pedro começar o discurso lá na festa quando a Malvina apareceu me chamando com a mão depressa depressa. Ela era preta mas naquela hora estava com a cara cinzenta. Que foi que aconteceu com a minha irmãzinha perguntei quase sem poder me aguentar em pé. Então Malvina começou a tremer dizendo que não tinha tido tempo de fazer nada. Fazer o quê? perguntei tremendo também. Salvar a pobrezinha. Eu ia indo pra casa quando vi aquele anjinho na beira da lagoa cavucando a lama. Fui chegando e de repente não sei como ela deu uma cambalhota e desapareceu. Gritei o quanto pude mas demorou até o Bentão entrar na água trazendo a pobrezinha pelo cabelo. Roxinha roxinha.

Corri feito louca pra avisar o Pedro. Ele já ia entrar no palco. Pedro Pedro a Luzia se afogou fiquei repetindo sem chorar nem nada. A Luzia se afogou a Luzia se afogou. Só repetia isso sem poder dizer outra coisa a Luzia se afogou. Ele me olhava mais branco do que a camisa. Agarrou meu braço. Vá na frente que depois eu vou. Vá na frente está me escutando? Mas eu não conseguia sair do lugar. Então ele me sacudiu com força. Vá indo na frente já disse. Vá indo que depois eu vou mas não conte pra ninguém escutou agora? Vi ele subir a escadinha que dava pro palco. Vá na frente repetiu bem baixinho mas tão furioso que pensei que fosse voltar pra me bater. Não fique parada aí. Vá na frente que eu já vou. Eu já vou.

Saí zonza como se tivesse levado uma paulada. Da rua ouvi ainda a voz de Pedro começando o discurso. Me lembro de uma palavra que escutei. Nunca tinha escutado antes e não sabia o que era. Fui voltando pra casa e repetindo júbilo júbilo júbilo.

Foi assim que perdi minha irmãzinha que era linda como os anjos pintados no teto da igreja. Mais umas semanas e perdi Pedro. O diretor da escola me arrumou um emprego na cidade ele avisou. Vou trabalhar num banco. O ordenado é pequeno porque meu serviço é só dar recado mas nos dias de folga vou trabalhar num hospital onde me deixam dormir. Estudo de noite ele disse bebendo em grandes colheradas a sopa que eu esquentei. Comecei a dar pulos de alegria. Pedro Pedro que bom que agora tudo vai mudar pra nós eu disse cabriolando de tão contente. Faço sua comida e lavo sua roupa e posso também ganhar alguma coisa porque sei trabalhar direito não sei? Ele então segurou no meu braço. Parei de rodopiar. Mas você não vai. Demorou um pouco pra eu entender. Eu não vou Pedro? Ele passou a mão na minha cabeça. Não pense que estou te abandonando ouviu bem? Eu não ia fazer uma coisa dessas. Mas o que vou ganhar não dá pra dois. Vou na frente e quando der jeito mando te chamar mas não fique triste porque você vai trabalhar na casa de uma mulher muito boa que o padre Adamastor conhece. Já falei com ele e assim que eu embarcar você vai pra lá. A gente vende esses trastes que preciso apurar algum dinheiro pra viagem. Agora bebe sua sopa senão esfria. Fui mexendo o caldo mas minha garganta estava trancada. Ah meu Pai. Meu pai. Só olhava pro caixotinho da Tita que agora servia pra guardar pinhão e da Tita passei pra minha mãe e então não aguentei mais segurar o choro. Mas nessa hora Pedro já tinha saído pra saber se a Malvina queria comprar nossas coisas e foi melhor assim porque ele não viu como fiquei.

Vendi tudo e o que apurei entreguei na mão dele. Um dia ainda te devolvo com juro ele disse. Eu não sabia o que era juro e até hoje não entendo mas se vinha de Pedro devia ser bom. Guardou o dinheiro e me abraçou. Me leva Pedro me leva fiquei pedindo agarrada nele. Tenho que ficar sozinho se quiser fazer o que tenho que fazer ele disse. Mas logo você vai receber uma carta porque não quero te perder de vista ele repetiu enquanto ia amarrando o pacote de livros com uma cordinha.

Vesti meu vestido cinzento e fui pra casa do padre Adamastor. Mal podia parar em pé de tanto desânimo. Uma tristeza no peito que chegava a doer. Minha mãe e Luzia e Pedro e a Tita mais os filhinhos dos filhinhos da Tita. Tinham sumido todos.

O padre me levou na casa de uma velha de óculos que começou a me olhar bem de perto. Mandou eu abrir a boca e mostrar os dentes. Perguntou mais de uma vez quantos anos eu tinha e se sabia ler. Respondi que andava pelos catorze e que conhecia uma ou outra letra mas fazia melhor as contas. Ela então apertou meu braço. Deve andar com uma fome antiga disse pro padre. Mas uma assim de perna fina é que sabe trabalhar. Remexeu meu cabelo. Vou cortar sua juba pra não dar piolho ela foi dizendo. Examinou minha mão. Quero ver essa unha cortada e limpa.

Fui recuando sem querer. A mulher tinha olhos pretos e redondinhos como os botões da batina do padre e um jeito de falar com a gente feito urubu bicando a carniça. Não parava de perguntar e agora queria saber se eu não tinha andado de brincadeiras com meu primo. Que brincadeiras? perguntei e ela riu com aquele jeito ruim que tinha que rir. Essa brincadeira de dar injeção naquele lugarzinho que você sabe qual é. O padre sacudiu a cabeça fingindo zanga mas bem que achou engraçado. Acho que ela é meio retardada como a irmã que se afogou ele disse se despedindo. Mas isso até que é bom porque essas é que obedecem melhor.

Entendi muito bem o que ele quis dizer e tive tamanho desgosto que nem sei como pude calar a boca. Acho que não sou mesmo muito esperta mas sei rir e sei chorar. Está visto que não é retardada coisa nenhuma quem sabe rir e chorar na hora certa como eu sei.

Começou então o tempo da atormentação. Decerto tenho agora pela frente anos piores ainda porque meu advogado já avisou que estou no mato sem cachorro e que o tal processo não está cheirando nada bem. Mas o tempo que passei na casa de dona Gertrudes esse eu não esqueço mais.

Ela era o próprio diabo em figura de gente. Credo. Cruz-credo como aquela mulher me atormentou. Nem pra ir ao banheiro eu tinha sossego que ela ficava rondando a porta e resmungando que eu devia estar cagando prego pra demorar tanto assim. Era Zeladora do Sagrado Coração de Jesus e todo santo dia tinha que ir de tardinha na igreja o que era uma sorte. Mas uma sorte mesmo. A única coisa que eu pedia pra Deus é que ela continuasse Zeladora porque ao menos nessa hora eu podia respirar. Tinha um filho chamado João Carlos que era o mesmo nome do pai. O pai era muito bom mas o menino tinha puxado a mãe. Uma peste de menino estava ali. Caçava mosquito pra botar no meu prato e me dava cada estilingada de ficar marca. Uma noite quis me ver pelada e como não deixei veio mijar na minha cara enquanto eu estava dormindo. Na procissão da Semana Santa ia vestido de Nosso Senhor dos Passos.

Assim que dona Gertrudes virava as costas o menino largava o caderno e fugia pra jogar futebol perto do matadouro. Então seu João Carlos vinha na cozinha pedir um café e prosear comigo. Era muito educado mas morria de medo da mulher. É uma verdadeira megera ele me disse certa vez e me lembro que achei graça na palavra que nunca tinha escutado antes. Ia enrolando seu cigarrinho de palha e se queixando tanto que até criei coragem e perguntei por que ele não fazia a pista duma vez. Quando era moço bem que tentei mas ela ameaçou se matar ele respondeu. Então fui ficando. Agora estou velho e não adianta mais nada mas você que é novinha devia fugir o quanto antes. Vá-se embora menina. Vá-se embora.

E foi o que eu fiz. O pouco de dinheiro que ela me dava fui juntando num pé de meia pra render mais como via minha mãe fazer. E numa madrugada levantei antes dela e vesti meu vestido cinzento e corri pra estação. O carro de primeira estava quase vazio mas o de segunda tinha gente até de pé. Arrumei um lugarzinho perto de uma mulher muito gorda que comia pão com cebola. Assim que o trem começou a andar espiei pela janelinha e quando vi a vila amontoada lá embaixo não aguentei e caí no choro. Me representou ver minha mãe lá longe com o pano amarrado na cabeça e pensando se ia pegar a estrada que nem fez a Tita. E minha irmãzinha brincando com as minhocas. E Pedro tão sério mexendo nos cadernos. Nossa mesa com a flor dentro da garrafinha de guaraná. Juro que me representou escutar até a fala deles. Onde estava nossa casa? Onde estavam todos?

A mulher perguntou se eu chorava por causa da cebola que ela picava num guardanapo aberto no colo. Respondi que chorava de verdade mesmo. Ela mastigava sem parar e quando o pão acabou abriu um embrulho com ovo cozido e me ofereceu um. Contou que tinha seis filhos que estavam na casa de uma comadre porque o marido era tão imprestável que não ganhava nem pro sustento de um tico-tico. Repartiu comigo o virado de feijão e riu muito quando contou como o caçula era engraçado. Depois chorou porque se lembrou que estava indo pra ficar de esmola na casa de uma irmã tudo por culpa daquele marido que só prestava pra fazer filho.

Anoiteceu e a gente ainda no trem. A mulher parou de comer e dormiu. Fiquei olhando o mato lá fora mais preto do que carvão. O céu também estava preto. Tive tanto medo que até me deu enjoo mas de repente vi minha cara no vidro da janela. Eu tinha mesmo a cara de lua cheia que dona Gertrudes vivia caçoando. Mas a pele era clarinha. E a boca muito benfeita sim senhora e com todos os dentes. Passei a mão no meu cabelo louro louro. Mas louro de verdade e anelado sem ser de permanente. Achei bonito o meu cabelo ali no vidro e olhei de novo pro céu. O pretume tinha se rasgado e pelo rasgão apareceu um monte de estrelas. Me deu então uma bruta calma quando vi uma estrelinha verde brilhando lá longe. Imaginei que aquela bem que podia ser minha mãe. Então fechei os olhos e pedi que ela tomasse conta de Pedro. E que também olhasse um pouco por mim.

Quase todas as minhas colegas do salão de danças contaram que se perderam com moços que prometeram casamento. Pois comigo foi diferente porque o Rogério até que não prometeu nada. Foi o primeiro conhecimento que fiz na cidade. Ele era grandalhão e tinha um riso tão bom que dava logo vontade da gente rir junto. Assim que cheguei sentei num banco da estação e fiquei ali parada sem saber pra onde ir. Então ele veio prosear comigo e se ofereceu pra me ajudar. Reparei que vestia uma roupa diferente e perguntei que farda era aquela. Mas esta é a roupa de marinheiro ele respondeu. E começou a rir porque achou uma coisa de louco topar com alguém que nunca tinha visto um marinheiro. Contou que morava no Rio mas estava agora de licença pra tratar de umas coisas que tinha que tratar aqui em São Paulo. E ficou olhando pro meu vestido. Já adivinhei tudo ele foi dizendo. Você vestiu o vestido da sua mãe e fugiu de casa porque trabalhava demais e até fome passou. Acertei?

Me levou numa confeitaria cheia de espelhos e luzes. Reparei então como eu estava mal-arrumada perto das outras moças e acho que ele também adivinhou o que eu estava pensando porque me pediu que eu não ficasse com vergonha daquelas mulheres bem-vestidas mas todas umas vagabundas de marca. E prometeu que no dia seguinte ia me comprar até um enxoval. Quer um enxoval hein Joana? Expliquei que meu nome não era Joana e sim Leontina. Leontina Pontes dos Santos. Não faz mal ele respondeu rindo. Esse seu cabelo encacheado é igual ao cabelo do São João do Carneirinho e pra mim você sempre será Joana.

Fui contando minha vida enquanto bebia café com leite e comia biscoito de polvilho. Ele bebia cerveja e escutava muito sério. Pediu depois um prato de batata frita. Falei no Pedro e na vontade que tinha de encontrar com ele apesar de não ter recebido até agora nenhuma carta naqueles quatro anos.

Isto aqui é grande demais pra você achar esse primo ele disse sacudindo a cabeça. Neste puta bolo a gente não encontra nem com a mãe. E é melhor mesmo não contar com ninguém ele disse segurando minha mão. Foi o primeiro conselho que ouvi e agora estou sozinha vejo como era verdade isso que o Rogério me disse. Conte só com você que todo mundo já está até as orelhas de tanto problema e não quer nem ouvir falar no problema do outro. Depois me disse que se eu estivesse gostando dele como ele estava gostando de mim tudo ia ser muito fácil. A gente podia ir morar junto lá no hotelzinho mas desde já me avisava que não ia prometer nada. Nunca enganei nenhuma mulher ele avisou. Sou livre mas não vá ficar alegre com isso porque casar não caso mesmo. Meu compromisso é outro. Nunca esqueço o rabo em parte alguma ele disse despejando mais cerveja no copo. Fiquei olhando a espuma. Chega uma hora me mando pro mar e adeus. Está bem assim?

Respondi que nunca tinha visto o mar. Num desses domingos a gente vai comer uma peixada em Santos ele prometeu. E explicou que o mar era tanta água tanta que no fim ele parecia se juntar com o céu. Mas se a gente chegasse até lá tinha ainda pela frente um chão de mar que não acabava nunca. Às vezes esse mar ficava arreliado e espumava feito louco varrido puxando pro fundo tudo o que encontrava. Assim como vinha de repente essa raiva de repente passava. E sem ninguém saber por que a água se punha mansa e embalava os navios como berços. Engraçado é que acabei conhecendo o mar mas não foi com ele. Cada domingo que a gente combinava de ir comer a tal peixada acontecia alguma coisa e acabei indo pra Santos quando já andava com o Mariozinho.

O hotel ficava numa ruinha estreita cheirando a café porque tinha na esquina um armazém de café. Chamava Hotel Las Vegas. Subimos a escada de caracol e entramos no quarto. Então fiquei sentada na cama. Ele riu e agradou meu queixo. Depois me deu um sabonete verde e avisou que o banheiro ficava ao lado. Não me envergonho de dizer que aprendi a tomar banho com Rogério. Você tem que tomar banho todo dia e lavar bem as partes ele ensinou quando expliquei que em casa a gente só tomava banho de bacia em dia de festa porque nas outras vezes só lavava o pé. E na casa da minha patroa ela não gostava que eu me lavasse pra não gastar água quente.

Quando voltei do banheiro embrulhada na toalha ele me deu pra vestir uma cueca e uma camiseta com umas coisas escritas no peito. Perguntou se eu sabia ler isso daí que estava escrito e foi logo explicando que era tudo em inglês e repetiu e me fez repetir inglês inglês inglês. Estados Unidos ele disse e ficou enxugando meu cabelo que pingava água. Já tinha estado por lá e isso escrito na camiseta queria dizer Eu não posso deixar de te amar. Ainda sou magra mas nesse tempo era mais magra ainda e aquela roupa ficou tão grande e tão esquisita que me deu vergonha e fui me esconder na cama debaixo do lençol. Ele riu e se deitou do meu lado. Você está com medo? ele perguntou. Confessei que estava. Não tenha medo ele disse. É como beber um copo d'água. Enquanto você estiver assim tremendo a gente não faz nada está bem assim? Te ensino depois como evitar filho e outras coisas. Fechou a luz e ficou fumando e eu fiquei encolhida e olhando pro teto. Não gostava do cheiro da fumaça mas era bom o cheiro do sabonete e até hoje não sei por que pensei no meu pai quando ele passou o braço debaixo da minha cabeça e me chamou, Vem Joana.

Esse foi um tempo feliz. Rogério era muito paciente e alegre. Como ele era alegre. Sempre me trazia um presentinho da rua e quando tinha dinheiro me levava pra comer no restaurante. Também me fez arrumar as unhas na Valderez que tinha o salão na rua do hotel. Se estava duro dizia Estou duro e daí a gente comia sanduíche num bar por perto onde o dono era amigo dele. Em todo bar que a gente ia o dono era amigo dele.

No sábado tinha cinema e depois tinha o Som de Cristal onde a gente ia dançar que ele tinha paixão por música. Tão alegre o Rogério. E tão bom. Foi com ele que aprendi isso de dizer que não tem problema. Nada de se aporrinhar que a vida assim acaba ficando uma puta aporrinhação ele repetia quando eu me queixava de alguma coisa. Não tem problema Joana. Não tem problema. Aprendi também a fazer amor e a fumar. Até hoje não consegui gostar de fumar. Comprava cigarro e ficava fumando porque todo mundo em nossa volta fumava e ficava esquisito eu não fumar. Mas dizer que gostava isso eu não gostava mesmo. Também fazia amor tudo direitinho pra deixar ele contente mas sempre com uma tristeza que não sei até hoje explicar. Essa hora do amor foi sempre a mais sem graça de todas. Justo na hora de ir pra cama com ele já esperando eu inventava de fechar a torneira que deixei aberta ou ver se não tinha perdido minha carteira de dinheiro. Vem logo Joana que já estou quase dormindo o Rogério me chamava. Quando não tinha mais remédio então eu suspirava e ia com cara de boi indo pro matadouro. Me sentia melhor se tomava um bom copo de vinho mas era depois do fuque-fuque que o Rogério cismava de beber. E de cantar a modinha do marinheiro.

Cantava bem o Rogério e quando o Milani aparecia com o violão era aquela festa. Cantava muito o Adeus Elvira que o sol já desponta. Essa modinha me dava um ciúme louco porque ele quase chorava enquanto ia chamando Elvira Elvira. O Milani respeitava a tristeza dele e então eu imaginava que essa tal de Elvira existiu.

Um dia achei o Rogério diferente. Comeu pouco. Falou pouco. Perguntei o que era e ele respondeu que não era nada. Depois de um sanduíche que comemos no quarto ficamos os dois debruçados na janela. A noite estava uma beleza e foi me dando um sentimento muito grande. Não tem problema Joana disse o Rogério passando o braço na minha cintura. Você é uma pequena muito direita e ainda vai encontrar um sujeito bem melhor do que eu. Escondi a cara na mão e nem consegui responder. Eu te quero Joana ele disse. Mas sou um tipo que não pode andar com mulher e panelas sempre atrás. Se te largasse até que te fazia um favor porque você precisa casar e não perder seu tempo com um camarada assim maluco. Como eu continuasse cobrindo a cara ele começou a me fazer cócegas e brincar que minhas sobrancelhas eram tão arqueadas como as asas das gaivotas. Você também não conhece gaivota nem inglês nem nada ele repetia me sacudindo e arreliando meu cabelo. Mas no domingo que vem a gente vai pra Santos e lá você vai ver como elas têm asas que nem suas sobrancelhas. E ligou o rádio e dançou um pouco comigo e me contou uma historinha tão engraçada que aconteceu lá no navio que acabei ficando contente de novo.

Nessa noite ele foi muito carinhoso e me fez tanto agrado que cheguei a perguntar por que a gente não casava duma vez e tinha filho e tudo. Ele ficou sério. Estava escuro mas senti que ele ficou sério quando encostei a cabeça no seu peito com aquele cheiro gostoso do sabonete verde. Acendeu um cigarro e disse Agora durma. Quando acordei na manhã seguinte Rogério não estava. Desceu mais cedo pra tomar café pensei. Então dei com a pulseira de pedrinhas de todas as cores em cima da mesa. Debaixo da pulseira estava o bilhete. E o dinheiro. Escreveu naquela letra bem redonda pra que eu entendesse mas a verdade é que nem precisei ler pra saber o que estava escrito. As lágrimas misturavam tanto as letras que eu não sabia se elas estavam no papel ou nos meus olhos. O bilhete dizia que ele tinha que seguir viagem porque tinha sido chamado e essa era uma viagem comprida. Achava melhor então se despedir de mim. Que eu ficasse com aquele dinheiro pra alguma necessidade porque o hotel estava pago até o fim do mês. Que procurasse o Milani pra me ajudar se precisasse de ajuda e que ficasse com a pulseira como prova de afeição. Essa pulseira o Milani acabou vendendo.

Sem Rogério eu não podia achar mais nenhuma graça na vida. E agora lembro que só depois que ele foi embora pra sempre é que vi como eu gostava dele e como a gente tinha sido feliz naquele quartinho da rua com cheiro de café. Chorei até ficar com o olho que nem podia abrir de tão inchado. Depois fechei a janela e fiquei ali trancada no quarto só querendo chorar e dormir. Só chorar e dormir no travesseiro dele porque assim me representava que ele ainda estava ali. Veio o seu Maluf bater na porta com medo que eu fizesse alguma besteira. Aqui não menina. Aqui não que eu não quero encrenca no meu hotel. Se tiver que fazer pelo amor de Deus vá fazer na rua. Respondi como o Rogério me ensinou a responder. Não tem problema seu Maluf. Não tem problema. Tomei banho com o sabonete dele e vesti a camiseta com aquilo tudo escrito em inglês Eu não posso deixar de te amar. Mas deixou. Mas deixou fiquei repetindo e chorando com a cabeça enfiada na gaveta vazia e com aquele perfume da loção que ele usava no cabelo.

Dona Simone que é vizinha de quarto veio me consolar quando escutou minha aflição. Homem é assim mesmo ela disse naquela fala enrolada que eu não entendia muito bem porque era gringa mas de uma outra cidade. No meio da conversa soltava tudo quanto era palavrão lá na língua dela que mulher pra dizer asneira estava ali. Fazia o gesto ao mesmo tempo que falava. Me fez beber um pouco do vermute que pra onde ia levava aquela bendita garrafa. Falou de novo num tal de Juju. E acabou confundindo esse Juju com o Rogério. Tudo *farrine* do mesmo *saque farrine* do mesmo *saque* berrou tão alto que seu Maluf voltou pra ver se a gente não estava brigando. Depois ficou com sono e se jogou na minha cama com aquele bafo tão forte que não aguentei e fui dormir no chão.

Voltou mais vezes. Usava um perfume que me enjoava porque era forte demais e misturado com aquele bafo me dava ânsia. A bendita garrafa debaixo do braço. Se sentava com os pés em cima da mesa porque a perna inchava demais. Era gorda. O cabelo curto pintado de preto. Ficava xingando e bebendo até cair no sono. Era horrível mas ainda assim eu me distraía um pouco até que numa tarde veio quase pelada e me mandou ficar pelada também. Começou a me agarrar. Expliquei sem querer ofender que se nem com homem eu tinha achado muita graça imagine então com mulher. Ela riu e ficou dançando feito louca abraçada no travesseiro. Depois cantou a música lá dos gringos e caiu de porre atravessada no chão do quarto. Fiz ela rolar em cima do cobertor e depois tive que arrastar o cobertor com ela esparramada feito um saco de batata.

Nessa noite me deu vontade de me matar. Respeitei seu Maluf que não queria confusão no hotel e fui pra rua comprar veneno. Vou no jardim e bebo formicida pensei. Mas quando fui passando pelo bar da esquina me deu uma fome desgraçada. Pedi um cachorro-quente. Foi então que encontrei o Arnaldo me perguntando se por acaso eu não era a pequena do Rogério. Nem pude responder. Então ele se sentou comigo no balcão. Disse que o navio do Rogério já estava longe e era melhor mesmo eu tirar ele da cabeça porque não era homem de voltar pra mesma mulher. Aconselhou ainda que eu bebesse cerveja porque formicida queima que nem fogo e cerveja sempre lava o coração.

Arnaldo não era bonito que nem o Rogério e não tinha dinheiro nem pro cigarro. Disse que era artista de cinema e que ia me botar pra trabalhar feito estrela. Andei espiando ele trabalhar. Era uma fita de alma do outro mundo misturada com gente viva que só aparecia pelada ou então na cama. O papel dele era botar na cara uma máscara medonha e assim mesmo tão depressa que não dava tempo pra nada. Mal aparecia e já sumia no meio daquele bando de gente. Na próxima fita vou fazer o papel de galã sabe o que é um galã? ficava me perguntando. Ficou mais de uma semana aboletado comigo no hotel e quando gastei minha última nota ele fez a pista com aquela mesma cara contente que tinha quando me encontrou no bar. Foi então que procurei o Milani que me arrumou um emprego de garçonete no Bar Real. Fomos morar numa pensão cheia de artista de circo e foi nessa pensão que conheci a Rubi. Perguntei se também trabalhava no circo e ela respondeu que já fazia muita palhaçada sozinha sem precisar de contrato. Contou que era táxi e mais aquela palavra que até hoje me enrola na língua quando digo. Me apresentou pro seu Armando caso eu quisesse trabalhar no salão de *táxi-girl*.

Minha amizade com o Milani não durou. De dia ele ficava metido num negócio de automóvel e até que ganhava dinheiro. Só voltava de noitinha justo na hora em que eu saía pra trabalhar. Então se punha a beber e bebia mesmo de não se aguentar em pé. Daí ficava ruim de gênio e quebrava tudo que tinha em redor. Foi assim que perdi todos os presentes que Rogério me deu. Numa só noite ele quebrou meu toca-discos e arrancou a porta do guarda-roupa e jogou na calçada. Fiquei muito aborrecida e mandei que ele sumisse pra sempre. Já vou já vou ele dizia enquanto ia jogando pra cima as roupas da cômoda. Depois pegou no violão e saiu cantando pela rua afora. Mais tarde um amigo veio me dizer que ele estava perdido de tanta maconha e outro dia esse mesmo cara contou que ele tinha casado. É verdade que fiquei um pouco triste mas está visto que nem pensei em me matar como da primeira vez.

Foi nessa ocasião que Rubi ficou minha amiga. Os homens são uns safados ela repetiu não sei quantas vezes. Vivi dez anos com um tipo que veio pra mim mais pesteado do que um cão sarnento. Cuidei das pestes e das bebedeiras dele. Deixou de beber e ficou bem-disposto que só vendo. Começou a trabalhar de novo e teve sorte porque logo ganhou tanto que comprou até um carro. Eu devo minha vida a você ele vivia me dizendo. Eu estava morto quando te encontrei e nem minha mãe ia ter paciência de me aguentar como você me aguentou. Rubizinha Rubizinha você foi a minha salvação vivia repetindo. Fiquei feliz e justo justo na hora em que pensei que podia descansar um pouco de tamanha trabalheira e viver em paz com meu homem ele me deu um bom pontapé no rabo e foi se casar com uma priminha. Agora tenho 35 anos e já estou escangalhada porque comecei com quinze e não é brincadeira essa vida de dar murros de dia e de noite ainda ter que fazer um extra com perigo de pegar filho e doença como já peguei. Mas naquele tempo queria saber ao menos a metade do que sei hoje. Ao menos a metade ela ficou me dizendo enquanto fazia seus furos com a ponta do cigarro numa folha de jornal.

A pensão ficou cara demais. Então a gente alugou um quarto perto do salão onde ela dançava. O almoço era de sanduíche e café que a gente fazia escondido no fogareiro que a dona proibia com medo de incêndio. A desforra vinha no jantar se por sorte aparecia algum convite.

Só então reparei como a cidade era grande. Eu podia ficar andando e não repetia nenhuma rua. Puxa que nunca imaginei que essa cidade fosse grande assim. E como não conhecia ninguém achei uma maravilha morar num lugar onde a gente dá as cabeçadas que quiser e nem o vizinho fica sabendo. E dei mesmo com a cabeça a torto e a direito mas se ia com este ou com aquele nunca era por interesse porque não sou dessas que têm o costume de pedir coisas em troca. A Rubi está aí de prova porque disse que ela era igual quando tinha vinte anos. Que nem adiantava me aconselhar porque meu miolo era mesmo mole e que quando eu fosse um caco é que ia me lembrar de dar valor ao dinheiro.

Agora vem esse tira dizer que matei o velho pra roubar e que acabei fugindo de medo. Pelo amor de Deus a senhora não acredite porque isso é uma mentira. É uma grande mentira e a Rubi está de prova. E também seu Armando que vivia me dizendo que Deus dá noz pra quem não tem dente. Até hoje não sei o que seu Armando queria dizer com isso mas tinha qualquer relação com esse negócio de não me aproveitar dos homens. Seu Armando está aí de prova porque ele me conhecia muito bem e me achava a mais direitinha lá do salão.

Meu emprego não presta pra nada Rubi me avisou antes de me levar pra falar com seu Armando. Não tem sola de sapato que aguente e um dia desses meu peito ainda arrebenta que nem corda de violão. A gente tinha tomado uma média e ela ia conversando comigo enquanto fazia furos na toalha com a ponta do cigarro. Rubi tinha essa mania. Até na cortina do nosso quarto fez esses buracos. Contou que tinha ficado doente de tanto pular com aquela homenzarada e que se ainda continuava é porque agora não tinha outro jeito senão ir até o fim. Mas que eu pensasse bem se queria mesmo levar essa vida.

Respondi que meu emprego no Pierrô não era melhor do que o dela. Fazia quase dois meses que a boate não me pagava nada e além do mais a polícia vivia rondando porque o Guido que era viciado começou a passar o pó pros fregueses. Não peguei o costume porque a única vez que experimentei assim de brincadeira fiquei tão ruim que comecei a rir sem parar e querendo pular da janela do hotel. Se não fosse o tipo me segurar eu tinha me jogado lá pra baixo. Rubi então encolheu o ombro e me explicou como era o tal salão. A gente tinha que dançar com um montão de caras que compravam os tíquetes e escolhiam as pequenas. Mas se precisam pagar pra isso é porque são uns lobisomens de medonhos eu disse e ela riu. Até que de vez em quando aparece um homem bonito mas vai ver ele tem isso ou aquilo que não funciona. Conheci um tipo de costeleta que parecia artista. Fiquei besta quando vi um tipo assim bacana metido com aquela raça de condenados e estava toda satisfeita quando ele me tirou. Saímos atracados num bolero mas quando ele abriu a boca pra falar tive que prender a respiração. A boca cheirava a merda. Não se espante Leo que lá tem de tudo. É não ligar pra tanta coisa maluca que aparece como aquela mulher que me tirou vestida de homem e tão bem servida que fiquei me perguntando onde ela foi arrumar um negócio grande assim. O que a gente ouve então. É só botar o pensamento em outra coisa e ir mexendo as pernas no compasso de cada um. Tem os que vão só pra mexer as pernas mas a maior parte está mesmo querendo mulher e precisa desse aperitivo. Se te interessa aceita. Mas não custa apalpar um pouco o cara pra ver se não está armado. E todo o cuidado com os tiras que vêm com parte de te ajudar porque esses são os piores.

No começo pensei que ia morrer de tanta canseira. Dançava com os fregueses das dez às quatro da manhã sem parar. E quando me esticava na cama era horrível porque se a cabeça dormia o pé continuava dançando. Rubi foi muito boa pra mim nessa ocasião e também o seu Armando que me pagou muito lanche e me deu muito conselho. Nunca diga não pro freguês. Responde de um jeito duvidoso e com isso ele não perde a esperança e volta. Sua comissão aumenta. Também não prometa bestamente que vai num encontro e depois não aparece que qualquer homem vira um tigre com essa história de prometer e não ir. Sei de muita menina que passou um mau bocado por causa disso. Dê a entender que por sua vontade você ia de muito bom gosto mas que alguém está esperando e que pode até te matar se souber. Tem drogado à beça. Não entre nisso que depois você não se livra mais. É pior ainda do que cafetão. Vê se bota na cabeça que é um trabalho como qualquer outro ter que dançar por obrigação e não pra se divertir. Mesmo que ele te pise o tempo todo não perca a carinha alegre e pergunte onde foi que ele aprendeu a dançar tão bem assim. Se ele te agarrar demais diga então que o regulamento não permite e no abuso quem perde o emprego é você com sua mãe e irmãozinho pra sustentar. Está visto que ninguém mais acredita nessa história de mãe mas não custa tentar. Às vezes cola.

Não confessava nem pra Rubi mas no fundo do coração cheguei a esperar que de repente aparecesse alguém que gostasse de mim de verdade e me levasse embora com ele. Podia até ser alguém que me falasse em casamento. E em toda a minha vida nunca quis outra coisa. Mas Rubi que parecia adivinhar meu pensamento me avisou que tirasse o cavalo da chuva porque nenhum homem quer casar com uma mulher que fica atracada a noite inteira com tudo quanto é cristão que aparece. Os tipos que transavam pela zona eram todos sem futuro. Agradeça a Deus se algum deles não se lembrar de te jogar pela janela ou te enfiar uma faca na barriga. E contou um montão de casos que viu com os próprios olhos de pequenas assassinadas por dá cá aquela palha. E a polícia não faz nada? perguntei. Ela ia furando com um cigarro a revista da anedota. Não seja burra Leo. Até que os tiras fazem e muito. Acho mesmo que são os que mais fazem e se não ficam ricos é porque os escrotos acabam deixando o dinheiro no mesmo lugar de onde arrancam.

Era bom quando seu Armando vinha prosear com a gente e de uma feita contou que uma tal de Mira acabou se casando com um cara que vinha dançar e que era dono de um montão de fazendas em Goiás. Hoje ela era uma granfa e vivia aparecendo no jornal em festa até de rainha. Essa história me animou que só vendo. Mas quando seu Armando viu minha animação achou graça. Sossega Leo que esse negócio de abóbora virar carruagem está ficando cada vez mais difícil. Em todo caso não perca a esperança que eu também não perco a minha de encontrar um dia um rio de ouro como aconteceu com aquele mendigo da Califórnia.

Um santo o seu Armando. Pensando bem até que existe gente boa mas é difícil. Ainda outro dia ele veio aqui me visitar. Se eu não fosse um duro com quatro filhos pequenos pra sustentar era capaz de te contratar uma boa defesa ele disse. Porque pelo visto só com muito dinheiro é que pode se livrar da enrascada em que foi cair. E repetiu o que costumava repetir quando me via numa apertura. Que eu ficasse confiante e não perdesse a esperança. Que não perdesse a esperança. Não tem problema eu respondi. E fiz aquela cara contente que aprendi a fazer quando no fim da noite chegava mais um freguês querendo animação e eu só querendo desabar na cama e apagar. Perguntou pelo meu primo que parecia ser tão importante. Lembrei que Pedro foi sempre muito soberbo e que duas vezes já tinha acontecido de não querer nem falar comigo. A primeira vez foi naquela festa do teatrinho da escola e a segunda foi lá na enfermaria da Santa Casa. Daí seu Armando que é crente lembrou que Pedro tinha negado Jesus três vezes. Faltava ainda uma vez pra Pedro dizer que nunca me viu.

Rubi também veio me visitar e me animou tanto que chegamos a fazer uns planos. Você vai ficar livre ela disse. Sonhei que vai e quando isso acontecer a gente se muda sem nenhum conhecido por perto pra começar vida nova. Vida nova Leo. Vida nova. Com comida na hora certa e um pouco de sossego esse raio de doença não me pega mais pelo pé. E você também vai trabalhar tudo direitinho e pode conhecer um tipo que seja jovem a ponto de acreditar em casamento porque tem gente que ainda acredita. Então vai estourar de feliz. Que tal Leo que tal esse programa? ela me perguntou andando de um lado pra outro. Comecei a andar também. Isso mesmo. Não perder a esperança. O dia de hoje é ruim? Amanhã vai ser melhor como dizia o Rogério. E já ia repetir que não tinha problema. Mas nessa hora me lembrei do meu advogado quando avisou que eu estava me afundando cada vez mais. E o tira me disse que no mínimo no mínimo eu ia pegar uns quinze anos.

Então abracei Rubi e chorei no seu ombro mais ainda quando vi que ela também estava chorando.

Que trapalhada que você foi fazer ela disse enxugando a cara e acendendo um cigarro. No seu lugar também eu tinha feito o mesmo porque sei que o velho era um grandessíssimo safado e teve o que mereceu. Mas é dono de jornais e mais isso e mais aquilo. A vagabunda matou pra roubar é o que repetem. Sei que não foi assim. Mas estão cagando pra o que eu sei. Justo agora que a gente podia melhorar de verdade disse e cuspiu o cigarro com raiva. Acendeu outro e ficou soprando a brasa. Sempre sonhei com um lugar sossegado e longe de toda essa confusão. Eu sarava e quem sabe ainda arrumava um sujeito que não fosse esses maconheiros de merda que vivem em nossa volta. Mas vai acontecer tudo ao contrário. Você vai ficar aqui apodrecendo e eu vou continuar pulando e me encharcando de bebida até o dia em que botar o pulmão pela boca. Tinha que ser.

Achei que Rubi queria parecer furiosa andando de um lado pra outro mas quando olhei vi que estava tão desesperada que me deu uma tremedeira e comecei a chorar de novo. Rubi Rubi pelo amor de Deus me diga agora o que é que eu vou fazer berrei me atirando na cama. Ela não respondeu. Andava sem parar feito um bicho. E ia repetindo que tinha que ser assim. Depois sentou e com a brasa do cigarro começou a fazer aqueles furos na bainha do lençol. Tinha que ser repetiu. Tinha que ser.

Engraçado é que agora que estou tanto tempo assim parada sempre me lembro de uma ou outra coisa que aconteceu quando eu era criança. Aqui faz muito frio. Frio igual só senti uma vez em que Pedro me empurrou pra dentro da lagoa. Eu estava fazendo um bonequinho de barro e Pedro recitava uma poesia do livro de leitura. Estava tudo bem até que apareceu uma menina e um menino os dois montados em cavalos pretos. A menina usava botas e o menino tinha um casaco de couro e botas também. Estavam vermelhos da disparada e ficaram olhando pra nós. Que é que você está fazendo nesse frio? perguntou a menina pra Pedro. Daí Pedro respondeu que não estava com frio. Vocês dois estão roxos de frio disse o menino apontando o chicote pra Pedro. Olha aí a cor do seu beiço. A menina balançou a cabeça e começou a cantar de um jeitinho enjoado Pedro não está com frio Pedro não está com frio. Daí

Pedro se levantou como se tivesse levado uma chicotada e disse que nem ele nem eu tinha frio e a prova é que a gente tinha vindo tomar banho.

Fazia um frio pra danar e por isso não entendi por que Pedro foi inventar essa história da gente entrar na água com um tempo desses. E já estava mesmo disposta a dizer que não ia entrar na água coisa nenhuma quando ele me agarrou pelo braço e antes que eu adivinhasse o que ele ia fazer me puxou para dentro da lagoa. Ficamos os dois sem poder respirar no meio daquele gelo. Eu nem sentia mais meu corpo com a mão de Pedro agarrada no meu braço pra que eu não fugisse.

Os dois ficaram quietos e só olhando. A menina até abriu a boca de tão espantada. E de repente os dois bateram no lombo do cavalo e foram embora no galope. Duas vezes a menina ainda olhou pra trás. Saímos da lagoa. O frio era tamanho e eu estava tão desanimada que me sentei no barro e fiquei ali na tremedeira. Por que você foi fazer uma coisa dessas perguntei pra Pedro enquanto ia torcendo a barra do vestido. A gente pode até morrer e a mãe ainda vai botar a culpa em mim e decerto vou apanhar.

Ele tremia também. Você não entende mas eu tinha que fazer isso. Agora nunca mais vão perguntar na escola por que estou sem casaco e se não sinto frio. Agora eles sabem que não sinto frio e nunca mais vão me perguntar nada.

Lembrei muito dessa tarde na noite que fez um frio de danar aqui na prisão. E quando de manhã vieram me dizer que tinha uma visita pra mim meu coração pulou de alegria. É o Pedro que leu o caso no jornal e veio me ver correndo. Mas era a Seglinda.

Puxa Leo que você mandou o velhote desta pra uma melhor ela disse rindo enquanto me abraçava. E logo começou a contar as novidades lá do salão. Contou que no meu lugar entrou um pequena muito cafona chamada Janina. Que a Rubi tinha amarrado um porre-monstro e que fez com a ponta do cigarro um monte de furos na roupa de um italiano que subiu pela parede de raiva. Que o homem do cravo no peito sempre perguntava por mim.

Eu quis mostrar que não estava ligando e comecei a rir e ela ria também mas notei que estava nervosa porque mascava o chiclete bem depressa como naquela noite em que o Alfredo veio tirar satisfações dela. Então apertei a cabeça e fiquei chamando minha Nossa Senhora minha Nossa Senhora enquanto ela ia passando a mão no meu cabelo querendo saber por que justo eu que era tão boazinha fui fazer uma besteira dessas.

É o que perguntam. Também não sei responder. Sei que nunca pensei em matar aquele raio de velho. Deus é testemunha disso porque até de ver matar galinha me doía o coração. Fugia pra dentro de casa quando dona Gertrudes torcia o pescoço delas como se fosse um pedaço de pano. Deus é testemunha. E agora vem o advogado e vem o tira me perguntar tanta coisa. Mas eu já disse tudo o que aconteceu e não sei mesmo o que mais que essa gente quer que eu diga.

Foi na tarde que inventei de comprar sapato porque o meu estava esbagaçado e quando chovia meu pé ficava nadando na água. Não comprei porque o dinheiro não deu e então como não tinha o que fazer fui olhar as vitrinas. Foi quando dei com o vestido marrom.

Amaldiçoada hora essa. Amaldiçoada hora que enveredei por aquela rua e parei naquela vitrina. O vestido estava numa boneca e tinha o meu corpo. E pensei que decerto ia servir pra mim e que era o vestido mais lindo do mundo. Foi quando ouvi uma voz perguntando bem baixinho se eu não queria aquele vestido. No vidro que parecia um espelho estava a cara do velho. Era gordão e mole que nem geleia. Juro que tive vontade de rir quando me lembrei daquela história do *Sonho de valsa* que a Rubi me contou estourando de raiva. É uma historinha muito suja de um velho que tinha paixão por esse bombom mas só queria comer de um jeito e esse jeito era tal que até hoje a Rubi fica bufando só de ouvir a palavra valsa. Me lembrei disso e juro que tive vontade de rir porque pensei que o velho do tal bombom bem que podia ser aquele dali. Mas fiquei firme porque já disse que dinheiro nunca me fez frente e a Rubi mesmo vivia caçoando de mim porque tinha mania de andar com esmolambentos. Juro que quis continuar meu caminho mas lá estava o vestido com aquela rosa de vidrilho vermelho no ombro. Quando ele fez a pergunta pela segunda vez então não aguentei e respondi que se ele quisesse me dar eu aceitaria sim com muito gosto.

Uma vendedora ruiva veio toda contente cumprimentar o velho. Os dois já se conhecem. Esta menina quer aquele vestido da vitrina ele disse. O vestido me assentou feito uma luva e a vendedora então me aconselhou que fosse com ele no corpo porque estava uma beleza. Fiquei zonza. É que nunca tinha visto um vestido assim caro e quando me olhava no espelho e passava a mão na rosa de vidrilho minha vontade era sair rodopiando de alegria. O caso é que agora tinha que aturar o velho. Mas já tinha aturado tantos sem vestido nem nada que um a mais ou um a menos não ia fazer diferença.

Na rua é que me lembrei que tinha deixado lá dentro da loja o meu vestido branco. Vou buscar meu vestido que esqueci eu disse mas o velho agarrou no meu braço e rindo um risinho meio esquisito falou que eu era muito engraçadinha por querer fugir fácil assim. Eu não estava querendo fugir coisa nenhuma e me aborreci muito quando escutei isso. Mas achei que tinha que ter paciência com ele e ir aguentando o tranco com a cara bem satisfeita que outra coisa não tenho feito desde que nasci.

Quando entrei no automóvel é que reparei o quanto o velho devia ser rico pra ter um carrão daqueles. O quanto era rico e feio com aquele jeito de peru de bico mole molhado de cuspe. O rádio tocava baixinho umas músicas tão delicadas mas o velho não parava de falar e fazer perguntas. Depois sossegou e eu preferi muito porque assim só ouvia o rádio e não carecia ficar olhando pra cara dele. Não é que fosse tão feio assim. O nariz era benfeito e os olhos azuis pareciam duas continhas. O que eu não aguentava era aquela boca inchada e roxa como se tivesse levado um murro. Mas não quis pensar nisso. Tinha um vestido novo como nunca tive um igual e estava num carro e minhas colegas iam ficar verdes de inveja se me vissem. Arre que ao menos uma vez você criou juízo a Rubi decerto ia me dizer. E fui indo tão contente assim perdida nessas ideias que nem vi que o automóvel corria agora por uma estrada.

Aqui a gente pode conversar melhor ele disse parando perto de um barranco. E foi logo agarrando na minha coxa e me puxando pra mais perto. Quando senti aquela boca molhada me lamber o pescoço me deu tamanho nojo mas disfarcei e fiquei firme quando a boca veio subindo e grudou na minha. Vi que ele queria me desabotoar mas não achava o botão e até que facilitei mas mesmo assim ele adivinhou que eu não estava gostando porque ficou fulo de raiva e começou a dizer que se eu quisesse bancar a cachorrinha me largava ali mesmo.

Juro que eu estava disposta a aturar tudo porque sabia muito bem que a gente não ganha nada fácil não senhora. Rubi mesmo costumava dizer que homem nenhum diz bom-dia de graça. Eu ia pagar sim mas quando escutei aquela conversa de descer e voltar a pé fiquei feliz da vida porque está visto que eu não queria outra coisa. Mesmo que a cidade estivesse longe ia ser uma maravilha andar sozinha por aquelas bandas e ainda por cima respirando o cheirinho do mato que fazia tempo que eu não respirava. Tomara que ele me faça descer agora. E quando veio aquela mãozona me apertando de novo e me levantando o vestido endureci o corpo e fechei a boca bem na hora em que me beijou. Sai já daqui sua putinha ele gritou. A bochecha cor de terra tremia. Sai já. Não esperei segunda ordem e ia abrindo a porta quando ele agarrou no meu braço avisando que eu podia bater as asas mas antes tinha que deixar a linda plumagem. Não entendi que plumagem era essa. Ele riu aquele riso ruim e puxando meu vestido disse que a plumagem era isso. Fiquei desesperada e comecei a chorar que ele não me tirasse o vestido porque podiam me prender se me vissem assim pelada. Não se pode fazer com ninguém uma indecência dessas mesmo porque eu estava disposta a pagar o presente. Não tinha problema. Foi o que eu disse e disse ainda que prometia ser boazinha e fazer tudo o que ele quisesse.

Juro que quis ficar de bem e até pedi muitas desculpas se ofendi em alguma coisa. O caso é que eu não era mesmo uma moça muito esperta e minha colega Rubi vivia me passando pito por causa desse meu jeito. Mas não tinha problema. Me arrependia muito da malcriação sem intenção. Até hoje não sei por que nesse pedaço ele ficou com mais raiva ainda e começou a espumar feito um touro me chamando disso e daquilo. Fui ficando ofendida porque eu não era não senhora aquelas coisas que ele dizia. E depois ele não tinha nada de puxar o nome da minha mãe que foi uma mulher que só parou de trabalhar pra deitar a cabeça no chão e morrer. Isto não estava certo porque nela que estava morta ninguém tinha que bulir. Ninguém.

Foi o que eu disse. E disse ainda que não merecia tanta xingação porque trabalhava das dez às quatro num salão de danças. E se ia com este e com aquele era por amor mesmo. Era por amor.

O bofetão veio nessa hora e foi tão forte que quase me fez cair no banco. Meu ouvido zumbiu e a cara ardeu que nem fogo. Eu chorava pedindo a ajuda da minha mãe como sempre fiz nas aperturas. O outro bofetão me fez bater com a cabeça na porta e a cabeça rachou feito um coco.

Apertei a cabeça na mão e pensei ainda no Rogério que um dia surrou um cara só porque ele esbarrou de propósito no meu peito. Agora estava apanhando que nem a pior das vagabundas. Me deixa ir embora pelo amor de Deus me deixa ir embora pedi me abaixando pra pegar minha bolsa. Foi então que num relâmpago o punho do velho desceu fechado na minha cara. Foi como uma bomba. Meu miolo estalou de dor e não vi mais nada. De repente me deu um estremecimento porque uma coisa me disse que o velho ia acabar me matando. Meu cabelo ficou em pé. Ah meu pai ah meu pai comecei a chamar. Acho que gritava de medo e de dor mas nem me lembro disso. Lembro que só queria fugir e dei com as costas na porta com toda força mas ela estava bem fechada. Fui escorregando no banco. E já ia cair ajoelhada quando ele me agarrou de novo e me sacolejou tão forte que fiquei de quatro no fundo do carro. Nessa hora achei uma coisa fria e dura no chão. Era o ferro. Agarrei o ferro e pensei depressa depressa nas brigas que tinha visto no Bar Real e nos homens que levavam cadeiradas e caíam desmaiados mas logo se levantavam como se não tivesse acontecido nada. Num salto me levantei e quando ele me puxou de novo pelo cabelo e me sacudiu assentei o ferro na cabeça dele. Assim que comecei a bater fui ficando com tanta raiva que bati com vontade e só parei de bater quando o corpo do velho foi vergando pra frente e a cabeça caiu bem em cima da direção. A buzina começou a tocar. Tive um susto danado porque pensei que ele estivesse chamando alguém. Mas ele parecia dormir de tão quieto.

    Fique agora aí beijando a buzina seu besta. Fique aí eu repeti e ele nem se mexeu. Me abaixei pra ver a cara dele e dei com aquela boca aberta como se quisesse me morder. O olho arregalado. Comecei a suar frio. A buzina que não parava e aquele sangue gosmento e morno que não sei como pingou na minha mão. Fiquei maluca. Limpei depressa o dedo na almofada e catei minha bolsa. Fuja Leo eu disse pra mim mesma. Fuja, fuja. Levei um bruta susto quando me vi disparando, pela estrada com um sapato em cada mão e com aquela buzina correndo atrás e eu querendo correr mais depressa até que aquele onnnnnnnnnnnnnnnn foi ficando mais fraco. Mais fraco. Parei pra respirar esfregando o pé na terra como fazia quando era criança. A brecha na cabeça já tinha fechado mas a boca doía pra danar porque o lábio partiu no murro. Cuspi o sangue da boca. Um automóvel que passou na toda me assustou e fui então andando bem achegadinha ao barranco pra me esconder dos carros.

Anoitecia e tive um medo danado no meio da escuridão que era uma escuridão diferente das estradas de Olhos d'Água. Minha Nossa Senhora o que significa isso. O que significa isso fui repetindo enquanto ia chorando como só chorei quando o Rogério me largou. É que me lembrei da minha mãe. De Pedro. Da minha irmãzinha. Justo naquela hora é que Pedro saía comigo pra catar vaga-lume. A sopa na panela. A coisa melhor do mundo era tomar aquela sopa quente. E minha mãe com sua carinha conformada e Pedro pensando sempre nos seus livros e minha irmãzinha pensando nas suas minhocas. Agora tinha acontecido tanta encrenca junta mas tanta. Não tem problema o Rogério dizia. Mas pra meu gosto já fazia tempo que tinha problema até demais. Então estava certo? Dançando a noite inteira com uns caras que vinham pisando feito elefante e me apertando e beliscando como se minha carne fosse de borracha. Pobre ou rico era tudo igual com a diferença que os pobres vinham com cada programa que Deus me livre.

Fui andando mais depressa e pensando como a vida era ruim ainda mais agora com essa trapalhada do velho. E me veio de repente uma saudade louca do Rogério que tinha sido o melhor de todos os homens que conheci. Também senti um pouco de falta do Bruno e do Mariozinho mas mais ainda do Rogério rindo e contando casos enquanto a gente descascava laranja na janela do hotelzinho cheirando a café.

Acordei gritando com aquela buzina forte bem debaixo do travesseiro. Pelos buracos da veneziana vi que já era dia. Rubi tinha dormido na rua. Foi um sonho ruim pensei. Um sonho ruim e se Rubi não tivesse dormido fora eu ia pedir pra ela ler naquele livro dos sonhos o que era sonhar com toda essa embrulhada. Foi sonho. Foi sonho. E de repente dei com a rosa de vidrilho brilhando no escuro. Olhei minha mão onde tinha pingado o sangue da cor da rosa. Passei a língua no lábio inchado. Tive vontade de me enterrar no colchão.

Matei o velho. Matei o velho fiquei repetindo sem poder despregar os olhos da rosa. Comecei a suar frio. Atirei longe a coberta e saltei da cama. Besteira tudo besteira eu disse pra mim mesma. Anda Leo. Anda e não pense mais nisso porque o velho não morreu coisa nenhuma e a estas horas já está pulando por aí. Decerto quer me matar de ódio mas foi benfeito porque ninguém mandou ser um malvado e encher a cara da gente de bofetão.

Abri a janela e o sol entrou no quarto. O despertador marcava duas horas. Então fiquei animada porque o dia estava uma maravilha e eu estava com uma fome louca. Comi o resto do bolo que Rubi tinha trazido da festa. Vou contar tudo e ela vai dar muita risada pensei enquanto me lavava com o sabonete verde. Não tem problema repeti como o Rogério. Não tem problema. Desta vez a Rubi não vai dizer que meu miolo é mole mas vai até me achar inteligente porque ganhei um vestido sem precisar pagar por ele. Eu estava contente que só vendo. Me pintei com cuidado pra disfarçar a boca inchada e passei a escova no cabelo. A senhora não pode fazer ideia como eu estava contente.

Donana varria a calçada. Que vestido mais bacana ela disse e fui indo e gostando de ver como o sol fazia brilhar minha rosa de vidrilho.

Saí para ver se achava a Rubi e acabei não sei como defronte daquela vitrina. A mesma boneca vestia agora um vestido de seda azul.

Diga se você quer esse vestido perguntou um homem atrás de mim. Quase tive um ataque de susto. É o velho pensei. É o velho que voltou e agora vou apanhar aqui mesmo na rua. Olhei pro vidro da vitrina como da outra vez. Então respirei. Era um moço falando com a namorada que respondeu que o vestido era medonho.

Já que estou aqui mesmo aproveito e peço meu vestido branco que esqueci na cadeira eu pensei. Amaldiçoada essa hora. Minha Nossa Senhora o que é que eu tinha de pedir aquele vestido de volta? Ainda ontem a Rubi me disse que se eu não tivesse aparecido lá nunca ninguém no mundo ia saber que era eu. Ninguém me conhecia. E nem eu mesma ficava sabendo do crime porque não leio jornal. Miolo mole ela berrou encostando o cigarro na parede como se quisesse fazer um furo ali. Por que tinha que voltar lá por quê? O velho gostava de meninas e andava com um monte delas. Nem arrependida você ia ficar nem isso sua tonta. Por que voltou?

Mas foi como se uma coisa tivesse me arrastado e agora eu estava parada na porta e procurando ver lá dentro a vendedora ruiva. Peço meu vestido que esqueci e se ela perguntar pelo velho digo que não sei. Melhor entrar pra pedir meu vestido porque se fujo vai ser pior.

Justo nessa hora tive um pressentimento. Meu cabelo arrepiou. Fuja Leo. Fuja depressa depressa. Pelo amor de Deus fuja agora sem olhar pra trás fuja fuja. Quando dei o primeiro passo pra correr a vendedora ruiva me viu. Ela estava proseando com um homem encostado no balcão. Assim que me viu ficou de boca aberta olhando. Depois me apontou com o dedo.

O homem dobrou o jornal e veio vindo devagar pro meu lado. Fiquei pregada no chão. Ele veio vindo veio vindo com um risinho na boca e com um jeito de quem não está querendo nada. Botou a mão no meu ombro. Belezinha do vestido marrom venha comigo mas bico calado. E me trouxe pra cá.

MISSA DO GALO

(Variações sobre o mesmo tema)

Chegamos a ficar algum tempo — não posso dizer quanto — inteiramente calados.
Missa do Galo, Machado de Assis

Encosto a cara na noite e vejo a casa antiga. Os móveis estão arrumados em círculo, favorecendo as conversas amenas, é uma sala de visitas. O canapé, peça maior. O espelho. A mesa redonda com o lampião aceso desenhando uma segunda mesa de luz dentro da outra. Os quadros ingenuamente pretensiosos, não há afetação nos móveis mas os quadros têm aspirações de grandeza nas gravuras imponentes (rainhas?) entre pavões e escravos transbordando até o ouro purpurino das molduras. Volto ao canapé de curvas mansas, os braços abertos sugerindo cabelos desatados. Espreguiçamentos. Mas as almofadas são exemplares, empertigadas no encosto da palhinha gasta. Na almofada menor está bordada uma guirlanda azul.

O mesmo desenho de guirlandas desbotadas no papel sépia de parede. A estante envidraçada, alguns livros e vagos objetos nas prateleiras penumbrosas. Deixo por último o jovem, há um jovem lendo dentro do círculo luminoso, os cotovelos fincados na mesa, a expressão risonha, deve estar num trecho divertido. Um jovem tão nítido. E tão distante, sei que não vou alcançá-lo embora esteja ali ao alcance, exposto sem mistério como o tapete. Ou como a ânfora de porcelana onde anjinhos pintados vão em diáfana fuga de mãos dadas. Também ele me foge, inatingível, ele e os outros. Sem alterar as superfícies tão inocentes como essa noite diante do que vai acontecer. E do que não vai acontecer — precisamente o que não acontece é que me inquieta. E excita, o céu tão claro de estrelas.

Não entendo — o jovem dirá quando lembrar o encontro e a conversa com a senhora que vai aparecer daqui a pouco. Não entende? Quero entender *por que* ele não entende o que me parece transparente mas não estou tão segura assim dessa transparência. E então, o que vai acontecer? Mas não vai acontecer nada, seria o mesmo que esperar por um milagre. Espero enquanto pego aqui uma palavra, um gesto lá adiante — e se com as brasas amortecidas eu conseguir a fogueira? Não esquecer as veiazinhas azuladas na pele branquíssima dessa senhora, foi no instante em que ela apoiou o braço na mesa e a manga do roupão escorregou? Não esquecer o mínimo inseto de verão que atravessou a página do livro que o moço está lendo, um inseto menor ainda do que a letra *Y* na qual entrou para descansar, o jovem vai se lembrar desse pormenor. E do olhar que inesperadamente se concentrou inteiro nele, fechando-o: sentiu-se profundo através desse olhar. Refugiou-se no livro, no inseto. Para encará-la de novo já sem resistência, pronto, aqui estou. Mas não disse nada nessa pausa que ela interrompeu, a iniciativa nunca era dele.

As omissões. Os silêncios tão mais importantes — vertigens de altura nas quais se teria perdido, não fosse ela vir em auxílio, puxando-o pela mão. Se ao menos pudessem ficar enquanto — enquanto o quê? Falaram. Tirante os silêncios mais compridos, a conversa até que foi intensa desde a hora em que ela surgiu no fundo do corredor e veio com seu andar enjaulado, o roupão branco. Magra, mas os seios altos como os da deusa da gravura, os cabelos num quase desalinho de travesseiro. Deixou travesseiro e quarto numa disponibilidade sem espartilho, livre o corpo dentro do roupão que arrepanhou sem muito empenho para que a barra não arrastasse, a outra mão fechando a cintura, hum, essas roupas para os interiores.

Ele afasta o livro e tenta disfarçar a emoção com uma cordialidade exagerada, oferece a cadeira, gesticula. Ela chega a tocar em sua mão. Por favor, mais baixo, a mamãe pode acordar! sussurra. Ele abotoa o paletó, ajeita a gravata. Você está em ordem, eu é que vim perturbar, ela adverte com um sorriso cálido que ele não retribui, nem pode, enredado como está naqueles cabelos, massa sombria tão mal arrepanhada como as saias, ameaçando desabar no enovelamento preso por poucos grampos.

Ela dirá que dormia, acordou há pouco e então veio sem muita certeza de encontrá-lo. Mas sabemos que ainda nem se deitou na larga cama com a coberta de crochê, por que mentiu? Para justificar o roupão indiscreto (acordei e vim) ou por delicadeza, por não querer confessar que não consegue dormir se tem um hóspede em vigília na sala? Mas o hóspede não pode saber que ela se preocupou. Essa senhora é só bondade! — ele repetirá no dia seguinte, quando as coisas voltarem aos seus lugares. Tudo vai voltar aos lugares quando todos estiverem acordados.

Mas será que agora tem alguém dormindo? A começar pelas mucamas lá no fundo da casa: já estão de camisola e conversam baixinho, a mais nova trançando a carapinha em trancinhas duras, rindo do patrão que devia estar todo contente, montado na concubina, ouviu essa palavra mais de uma vez, acabou aprendendo, *concubina*. Montando nela, o carola!

Teúda e manteúda, acrescentaria a sogra no seu quarto de oratório aceso, o olho aceso sondando escuros, silêncios. Mas quem estaria andando aí? Conceição? Conceição, coitada, uma insônia. A velha suspira. Também, dormir, como?! Justo numa noite assim sagrada o marido cisma de procurar a mulata, é o cúmulo. Um bandalho, esse Menezes. Que procure suas distrações fora do lar, muito natural, ele mesmo já disse que no capacho da porta deixava toda a poeira do mundo, a mulata incluída, lógico. Até aí, nenhuma novidade, os homens são todos iguais, por que o genro ia ser a exceção? Mas isso de não respeitar nem a Noite de Natal! Credo. Aguça o ouvido direito, o que escuta melhor: mas onde vai a Conceição assim na ponta dos pés? Evita a tábua do corredor (aquela que range) e foi para a sala. Onde deve estar o mocinho, esperando pelo amigo para irem juntos à missa — e esse mocinho? Banho, Missa do Galo, leituras. Bons hábitos. Mas tem qualquer coisa de sonso, não tem? E Conceição dando corda. Ao menos se fosse o escrevente, vá lá, mas um menino?! Uma senhora com o marido ausente se levantar tarde da noite para ir até a sala de visitas prosear com um mocinho. Imprudência. Também, com esse marido... Casa agitada. Se ao menos pudesse dormir antes de aparecer a dor, artrite mata? Hoje não, meu pai, meu paizinho!

Hoje não, dirá o Menezes à mulher que lhe oferece licor de baunilha, feito pela Madrinha. Está nu, sentado na cama e comendo biscoitos de polvilho que vai tirando da lata, tem paixão por esses biscoitos. Os de Conceição eram mais pesados, ela não tinha mão boa para o forno. Mulher fria de cama não dá boa cozinheira, o avô costumava dizer. Então ficam aquelas tortas indiferentes, sem inspiração. Com Luisinha (Deus a guarde!) foi a mesma coisa, não foi? O sal da vida. Tem pessoas que nascem sem esse sal! — disse ele em voz alta, mas só a última frase. Inclinou-se para beijar a rapariga que lhe oferecia a boca, ela estava apenas com uma leve camisa de cambraia, os cabelos crespos, indóceis, presos na nuca por uma fita. Mas escapavam da fita. Cariciosamente ela começou a tirar os farelos de biscoito enredados nos pelos do peito do homem. Menos barulho, Menezes, repreendeu-o murmurejante. Mastigue de boca fechada senão a Madrinha acorda!

A Madrinha (outra de sono leve) já está acordada com sua asma e seu medo, tem sempre uma velha que finge que dorme enquanto os outros falam baixinho. É fácil dizer, Durma, queridinha. Mas dormir quando o sono é o irmão da morte?! E esse daí que não para de comer. Outro que não vai dar em nada. Se ao menos fosse generoso. Mas um forreta, roque-roque. Bom para o fogo, esse Menezes. Ela que se cuide, que desse mato não sai coelho, não. A gente fecha a janela, tranca a porta e adianta? Mana Marina viveu 104 anos, eu não queria tanto... Morreu dormindo, um perigo dormir. A gente passa o ferrolho e ela entra pelas frestas, pelo vão das telhas feito um sopro. A morte é um sopro, entra até pela fechadura, credo!

Mas foi Conceição que entrou na sala da casa antiga. O andar é lerdo, os pés ligeiramente abertos, num meneio de barco. Ancas fortes. Ombros estreitos. Os seios em liberdade com uma certa arrogância que lembrava os seios das estátuas das gravuras. Toda a fragilidade na cintura, ele adivinha nas reticências do roupão amplo, confuso, tantos panos, pregas. Bonito babado (aquilo não é um babado?) que lhe contorna o pescoço e vai descendo. Curiosas essas roupas de alcova, ele pensa e sorri fascinado. A frouxidão da conversa. Por que durante o dia as conversas não são assim frouxas? Durante o dia Conceição parece tão objetiva, eficiente. E agora essa inconsistência. Efêmera nas frases, ideias. E eterna na essência como a noite.

Tantos anos passados e o jovem que ficou maduro repetiria que não entendeu essa conversa antes da Missa do Galo. Uma conversa sobre banalidades, tecido ocioso com um ou outro ponto mais especial como aquela referência à meninice. Ao casamento. E ao conformismo, era cristã praticante. Seria real seu interesse pelos objetos em redor? Numa das voltas, ela passou a mão no vidro do armário e queixou-se do envelhecimento das coisas, chegou a ter um gesto inconformado, tanta vontade de renovar! Olhou-o mais demoradamente. Ele também se calou pensando no quanto era fino aquele pulso, não o imaginara fino assim. A pele suave. Foi subindo o olhar pelo braço, a ampla manga escorregara até o cotovelo, tinha o braço apoiado na mesa. O queixo apoiado na mão. Quando ela recuou para se sentar no canapé — tão à vontade! — ele viu a ponta da chinela de cetim aparecer na abertura do roupão, uma chinela de cetim preto com bordados, não eram bordados com linha de seda cor-de-rosa? Refolhos, reentrâncias, tão caprichoso esse roupão que mostrava e escondia as chinelas dentro do casulo das saias. Não podia ver mas intuía um certo movimento de pés brincando com as chinelas, parecia cruzar e descruzar as pernas. A dona Conceição, imagine! Tão apaziguada (ou insignificante) durante o dia, quase invisível no seu jeito de ir e vir pela casa. E agora ocupando todo o espaço, como um navio, a mulher era um navio. Abriu a boca na contemplação: imponente navio branco, preto e vermelho, os lábios brilhantes, de vez em quando ela os umedece com a ponta da língua. A solução é falar, falar. E ela estimula a prosa quando essa prosa vai desfalecendo — mas havia outra coisa a fazer? Havia, sim. E o jovem ouviu com a maior atenção o episódio do colégio de freiras onde ela estudou.

Nunca ele estivera com uma senhora assim na intimidade. Tinha a mãe. Mas mãe não tem esse olhar que se retrai e de repente avança, agrandado. Para diminuir até aquelas fendas que ele quase não alcança, o que o perturba ainda mais porque é à traição que se sente tomado. Inundado, oh Deus! O que é que ela está dizendo agora? Ah, sempre gostei de ler, ele responde num tom alto e ela pede, Mais baixo, por favor, mais baixo! Ele encolhe riso e voz:

apenas cochicham, próximos e cúmplices, os hálitos de conspiradores tecendo considerações sobre a necessidade de trocar ou não o pano da cadeira. Ou o papel da parede.

O inseto sai de dentro do *Y* e chega com dificuldade até o *A* no alto do livro, uma lupa poderosa revelaria montes e vales na superfície lisa da página. Mas espera, estou me precipitando, vou recomeçar, ainda continuo na rua, bafejando na vidraça da noite antiquíssima. Sinto mais agudo o desejo de entrar na casa e abrir caixas, envelopes, portas! Queria ser exata e só encontro imprecisão, mas sei que tudo deve ser feito assim mesmo, dentro das regras embutidas no jogo. Há um certo perfume (jasmim-do-imperador?) que vem de algum quintal. Está no ar como estão outras coisas — quais? É noite. Objetos Não Identificáveis. Matérias Perecíveis — estava escrito na carroceria metálica do caminhão de transportes que me ultrapassou na estrada, quando? Agora tem o céu apertado de estrelas com os escuros pelo meio — ocos que procuro preencher com minha verdade que já não sei se é verdadeira, há mais pessoas na casa. E fora dela. Cada qual com sua explicação para a noite inexplicável, Matéria Imperecível no Bojo do Tempo.

Entro depressa na sala de visitas, Conceição ainda não chegou. Vou por detrás da cadeira onde o jovem está sentado e me inclino até seu ombro, sei o que está lendo mas quero ver o trecho: mais uma das façanhas dos mosqueteiros em delírio. Pergunto se gostaria de sair galopando com eles. Seu olhar divaga pelo teto. Reage — mas assim tímido? Nem tanto, digo e ele sorri da ideia, agora está se vendo com uma certa ironia: mas o que mais poderia fazer nessa noite senão ouvir e obedecer? Apalermado como esses voluntários de teatro, os ingênuos que se prontificam a ajudar o mágico que manda e desmanda no encantado que não pode mesmo raciocinar em pleno encantamento. Cabia tomar alguma decisão? É ela quem responde com sua presença, acabou de chegar arrastando o roupão e a indolência. Senta, levanta, faz perguntas e assim que vem a resposta já está pensando em outra coisa. É atenta mas instável. Quando fica calada, quando os olhos se reduzem, parece dormir mas está em movimento, as máquinas não param, o navio navega embora transmita ao passageiro aquela quietude de âncora. Um navio com escadas de caracol, porões indevassáveis, caves tão apertadas que nelas não caberia um camundongo.

Uma mariposa entrou de repente, mas por onde? É uma bruxa de asas poeirentas com leve reflexo de prata, ela não tem medo de bruxas, mas de besouros, aqueles besourões pretos, certa vez um se enleou no seu cabelo. E estremece enquanto dá uma volta em torno da mesa. Fala em outra Missa do Galo. Em outras gentes. A voz fica mais leve quando descreve o feitio do vestido do seu primeiro baile, era branco-pérola. Muda de assunto e lembra que poderia botar uma imagem naquele canto da sala (sugestão do Menezes), mas não fica esquisito? Fala no São Sebastião que está em seu oratório e o moço inclina a cabeça, seteado de dúvidas como a imagem do santo, não é estranho? Está mais interessado nela do que no romance e o romance é atraente. Apara ou deixa cair os assuntos que ela vai atirando meio ao acaso, pequenas bolas de papel que amarfanha e joga, nenhum alvo? Enquanto ele fala, ela observa que suas mãos são benfeitas, não parecem mãos de um provinciano, tão espirituais, será virgem? Dá uma risada e ele ri sem saber por que está rindo — mas por que também eu não consigo me afastar desta sala?

O canto do galo o faz voltar num sobressalto para o relógio, não está na hora da missa? Tranquiliza-se, é cedo ainda. Está corado. Ela empalideceu. Ou já estava pálida quando chegou? Contradições, há momentos em que pressinto nele dissimulação, um jovem se fazendo de tolo diante da mulher provocativa. Com olhos que eram castanhos e de repente ficaram pretos, mais uma singularidade dessa noite: não é que a simpática senhora ficou subitamente belíssima? Mas não, ele não dissimula, está em êxtase, atordoado com a descoberta, Bruxa, bruxa! quer gritar. A hora é de calar. Aspira seu cheiro noturno. Ela se sacode: por acaso já tinha visto esses calendários com o retrato do Sagrado Coração de Jesus? Cada dia arrancado trazia nas costas um trecho dos Salmos. E pensamentos tão poéticos, receitas. Nas costas do dia 20, aprendeu a fazer os pastéis de Santa Clara, não é curioso isso? Acho que quando era mais moça gostava mais de açúcar.

Um cachorro começa a latir desesperado. Ela anda até a janela, espia e na volta passa a ponta do dedo afetuoso na cabeça da estatueta do menino de suspensório, comendo cerejas. Recua, vai por detrás da cadeira onde está o jovem. Inclina-se. Estende a mão no mesmo gesto que teve diante da estatueta e pega o livro, ah! esses romances tão compridos, prefere os de enredo curto.

E os dois de mãos abanando, Fala mais baixo! ela suplica. E o grande relógio empurrando seus ponteiros: quando os ponteiros se juntarem ambos estarão se separando, ela no quarto, ele na igreja — tão rápido tudo, mais uns minutos e o vizinho virá bater na janela, Hora da missa, vamos? Perdidos um para o outro, nunca mais aquela sala. Aquela noite. Vocês sabem que dentro de alguns minutos será o *nunca mais*?

Faça com que aconteça alguma coisa! — repito e meu coração está pesado diante desses dois indefesos no tempo, expostos como o Menino Jesus com sua camisolinha de presépio, as mãos abertas, também as mãos deles. O cachorro late, enrouquecido, e ela pergunta se ele gostaria de ter um cachorro. Ou um gato, prefere então um gato? E essa loção que ele passou no cabelo? Bem que ela estava sentindo, o nome? Ele não sabe, comprou na Pharmacia de Mangaratiba, nas vésperas da viagem. Pena que o perfume não dure. Falam sobre perfumes como se tivessem toda a noite pela frente. E a eternidade, mas o que é isso? O vizinho chamando? Já?! Deve ser afobação dele, não será cedo ainda? Resiste. Mas de repente ela fica enérgica, está na hora sim, não faça o moço esperar. Ele ainda vacila, olha o relógio, olha a mulher, faz um gesto evasivo na direção da janela, justifica, detesta chegar muito cedo nos lugares. Ela insiste: mesmo saindo imediatamente eles poderão chegar com um ligeiro atraso. Talvez haja no seu tom ou no jeito com que fechou o roupão uma certa impaciência, que se fosse sem demora, não tinha mesmo que ir? Pela última vez ele vislumbrou os bicos acetinados das chinelas. Vai reencontrá-las na igreja, o bordado de fios de seda cor-de-rosa na estola do padre, lembrança luminosa que se mistura ao roupão com seus engomados e rendas (*Miserere nobis!*) cobrindo o altar. Desvia depressa o olhar da lividez do mármore: o mármore está debaixo da renda.

Ele fecha o livro. Ela tranca a porta. Ainda ouve os passos dos dois amigos se afastando rapidamente. Olha em redor. A mariposa sumiu. Quando volta ao quarto, pisa na tábua do corredor, aquela que range. Rangeu, paciência! Agora está desinteressada da mãe e da tábua.

No canapé, a almofadinha das guirlandas um pouco amassada.

Apago o lampião.

A ESTRUTURA DA BOLHA DE SABÃO

Era o que ele estudava. "A estrutura, quer dizer, a estrutura", ele repetia e abria a mão branquíssima ao esboçar o gesto redondo. Eu ficava olhando seu gesto impreciso porque uma bolha de sabão é mesmo imprecisa, nem sólida nem líquida, nem realidade nem sonho. Película e oco. "A estrutura da bolha de sabão, compreende?" Não compreendia. Não tinha importância. Importante era o quintal da minha meninice com seus verdes canudos de mamoeiro, quando cortava os mais tenros, que sopravam as bolas maiores, mais perfeitas. Uma de cada vez. Amor calculado, porque na afobação o sopro desencadeava o processo e um delírio de cachos escorriam pelo canudo e vinham rebentar na minha boca, a espuma descendo pelo queixo. Molhando o peito. Então eu jogava longe canudo e caneca. Para recomeçar no dia seguinte, sim, as bolas de sabão. Mas e a estrutura? "A estrutura?", ele insistia. E seu gesto delgado de envolvimento e fuga parecia tocar mas guardava distância, cuidado, cuidadinho, ô! a paciência. A paixão.

No escuro eu sentia essa paixão contornando sutilíssima meu corpo. Estou me espiritualizando, eu disse e ele riu fazendo fremir os dedos-asas, a mão distendida imitando libélula na superfície da água mas sem se comprometer com o fundo, divagações à flor da pele, ô! amor de ritual sem sangue. Sem grito. Amor de transparências e membranas, condenado à ruptura.

Ainda fechei a janela para retê-la, mas com sua superfície que refletia tudo ela avançou cega contra o vidro. Milhares de olhos e não enxergava. Deixou um círculo de espuma. Foi simplesmente isso, pensei quando ele tomou a mulher pelo braço e perguntou: "Vocês já se conheciam?" Sabia muito bem que nunca tínhamos nos visto mas gostava dessas frases acolchoando situações, pessoas. Estávamos num bar e seus olhos de egípcia se retraíam apertados. A fumaça, pensei. Aumentavam e diminuíam até que se reduziram a dois riscos de lápis-lazúli e assim ficaram. A boca polpuda também se apertou, mesquinha. Tem boca à toa, pensei. Artificiosamente sensual, à toa. Mas como é que um homem como ele, um físico que estudava a estrutura das bolhas, podia amar uma mulher assim? Mistérios, eu disse e ele sorriu, nos divertíamos em dizer fragmentos de ideias, peças soltas de um jogo que jogávamos meio ao acaso, sem encaixe.

    Convidaram-me e sentei, os joelhos de ambos encostados nos meus, a mesa pequena enfeixando copos e hálitos. Me refugiei nos cubos de gelo amontoados no fundo do copo, cheguei a sugerir, ele podia estudar a estrutura do gelo, não era mais fácil? Mas ela queria fazer perguntas. Uma antiga amizade? Uma antiga amizade. Fomos colegas? Não, nos conhecemos numa praia, onde? Por aí, numa praia. Ah. Aos poucos o ciúme foi tomando forma e transbordando espesso como um licor azul-verde, do tom da pintura dos seus olhos. Escorreu pelas nossas roupas, empapou a toalha da mesa, pingou gota a gota. Usava um perfume adocicado. Veio a dor de cabeça, "Estou com dor de cabeça", repetiu não sei quantas vezes. Uma dor fulgurante que começava na nuca e se irradiava até a testa, na altura das sobrancelhas. Empurrou o copo de uísque. "Fulgurante." Empurrou para trás a cadeira e antes que empurrasse a mesa ele pediu a conta. Noutra ocasião a gente poderia se ver, de acordo? Sim, noutra ocasião, é evidente. Na rua, ele pensou em me beijar de leve, como sempre, mas ficou desamparado e eu o tranquilizei, Está bem, querido, está tudo bem, já entendi. Tomo um táxi, vá depressa! Quando me voltei, dobravam a esquina. Que palavras estariam dizendo enquanto dobravam a esquina? Fingi me interessar pela valise de plástico de xadrez vermelho, estava diante de uma vitrina de valises. Me vi pálida no vidro. Mas como era possível. Choro em casa, resolvi. Em casa telefonei a um amigo, fomos jantar e ele concluiu que o meu cientista estava felicíssimo.

    Felicíssimo, repeti quando no dia seguinte cedo ele telefonou para explicar. Cortei a explicação com o *felicíssimo* e lá do outro lado da linha senti-o rir como uma bolha de sabão seria capaz de rir. A única coisa inquietante era aquele ciúme. Mudei logo de assunto com o licoroso pressentimento de que ela ouvia na extensão, era mulher de ficar ouvindo na extensão. Enveredei para as amenidades, oh, o teatro. A poesia. Então ela desligou.

    O segundo encontro foi numa exposição de pintura. No começo aquela cordialidade. A boca pródiga. Ele me puxou para ver um quadro de que tinha gostado muito. Não ficamos distantes dela nem cinco minutos. Quando voltamos, os olhos já estavam reduzidos aos dois riscos. Passou a mão na nuca. Furtivamente acariciou a testa. Despedi-me antes da dor fulgurante. Vai virar sinusite, pensei. A sinusite do ciúme, bom nome para um quadro ou ensaio.

"Ele está doente, sabia? Aquele cara que estuda bolhas, não é seu amigo?" Em redor, a massa fervilhante de gente. Música. Calor. Quem é que está doente? perguntei. Sabia perfeitamente que se tratava dele mas precisei perguntar de novo, é preciso perguntar uma, duas vezes para ouvir a mesma resposta, que aquele cara, aquele que estuda essa frescura da bolha, não era meu amigo? Pois estava muito doente, quem contou foi a própria mulher, bonita, sem dúvida, mas um pouco sobre a grossa. Fora casada com um industrial meio fascista que veio para cá com passaporte falso. Até a Interpol já estava avisada, durante a guerra se associou com um tipo que se dizia conde italiano mas não passava de um contrabandista. Estendi a mão e agarrei seu braço porque a ramificação da conversa se alastrava pelas veredas, mal podia vislumbrar o desdobramento da raiz varando por entre pernas, sapatos, croquetes pisados, palitos, fugia pela escada na descida vertiginosa até a porta da rua, Espera! eu disse, Espera. Mas o que é que ele tem? Esse meu amigo. A bandeja de uísque oscilou perigosamente acima do nível das nossas cabeças. Os copos tilintaram na inclinação para a direita, para a esquerda, deslizando num só bloco na dança de um convés na tempestade. O que ele tinha? O homem bebeu metade do copo antes de responder, não sabia os detalhes e nem se interessara em saber, afinal, a única coisa gozada era um cara estudar a estrutura da bolha, mas que ideia! Tirei-lhe o copo e bebi devagar o resto do uísque com o cubo de gelo colado ao meu lábio, queimando. Não ele, meu Deus. Não ele, repeti. Embora grave, curiosamente minha voz varou todas as camadas do meu peito até tocar no fundo onde as pontas todas acabam por dar, que nome tinha? Esse fundo, perguntei e fiquei sorrindo para o homem e seu espanto. Expliquei-lhe que era o jogo que eu costumava jogar com ele, com esse meu amigo, o físico. O informante riu. "Juro que nunca pensei que fosse encontrar no mundo um cara que estudasse um troço desses," resmungou, voltando-se rápido para apanhar mais dois copos na bandeja, ô! tão longe ia a bandeja e tudo o mais, fazia quanto tempo? "Me diga uma coisa, vocês não viveram juntos?", lembrou-se o homem de perguntar. Peguei no ar o copo borrifando na tormenta. Estava nua na praia. Mais ou menos, respondi.

Mais ou menos, eu disse ao motorista que perguntou se eu sabia onde ficava essa rua. Tinha pensado em pedir notícias por telefone mas a extensão me travou. E agora ela abria a porta, bem-humorada. Contente de me ver? A mim?! Elogiou minha bolsa. Meu penteado despenteado. Nenhum sinal da sinusite. Mas daqui a pouco vai começar. Fulgurante.

"Foi mesmo um grande susto", ela disse. "Mas passou, ele está ótimo ou quase", acrescentou levantando a voz. Do quarto ele poderia ouvir se quisesse. Não perguntei nada.

A casa. Aparentemente, não mudara, mas reparando melhor, tinha menos livros. Mais cheiros, flores de perfume ativo na jarra, óleos perfumados nos móveis. E seu próprio perfume. Objetos frívolos — os múltiplos — substituindo em profusão os únicos, aqueles que ficavam obscuros nas antigas prateleiras da estante. Examinei-a enquanto me mostrava um tapete que tecera nos dias em que ele ficou no hospital. E a fulgurante? Os olhos continuavam bem abertos, a boca descontraída. Ainda não.

"Você poderia ter se levantado, hein, meu amor? Mas anda muito mimado", disse ela quando entramos no quarto. E começou a contar muito satisfeita a história de um ladrão que entrara pelo porão da casa ao lado, "A casa da mãezinha", acrescentou afagando os pés dele debaixo da manta de lã. Acordaram no meio da noite com o ladrão aos berros, pedindo socorro com a mão na ratoeira, tinha ratos no porão e na véspera a mãezinha armara uma enorme ratoeira para pegar o rei de todos, lembra, amor?

O amor estava de chambre verde, recostado na cama cheia de almofadas. As mãos branquíssimas descansando entrelaçadas na altura do peito. Ao lado, um livro aberto e cujo título deixei para ler depois e não fiquei sabendo. Ele mostrou interesse pelo caso do ladrão mas estava distante do ladrão, de mim e dela. De quando em quando me olhava interrogando, sugerindo lembranças mas eu sabia que era por delicadeza, sempre foi delicadíssimo. Atento e desligado. Onde? Onde estaria com seu chambre largo demais? Era devido àquelas dobras todas que fiquei com a impressão de que emagrecera? Duas vezes empalideceu, ficou quase lívido.

Comecei a sentir falta de alguma coisa, era do cigarro? Acendi um e ainda a sensação aflitiva de que alguma coisa faltava, mas o que estava errado ali? Na hora da pílula lilás ela foi buscar o copo d'água e então ele me olhou lá do seu mundo de estruturas. Bolhas. Por um momento relaxei completamente, "Jogar?" Rimos um para o outro.

"Engole, amor, engole", pediu ela segurando-lhe a cabeça. E voltou-se para mim: "Preciso ir aqui na casa da mãezinha e minha empregada está fora, você não se importa em ficar mais um pouco? Não demoro muito, a casa é ao lado", acrescentou. Ofereceu-me uísque, não queria mesmo? Se quisesse, estava tudo na copa, uísque, gelo, ficasse à vontade. O telefone tocando será que eu podia?...

Saiu e fechou a porta. Fechou-nos. Então descobri o que estava faltando, ô! Deus. Agora eu sabia que ele ia morrer.

A CAÇADA

A loja de antiguidades tinha o cheiro de uma arca de sacristia com seus panos embolorados e livros comidos de traça. Com as pontas dos dedos, o homem tocou numa pilha de quadros. Uma mariposa levantou voo e foi chocar-se contra uma imagem de mãos decepadas.

— Bonita imagem — disse.

A velha tirou um grampo do coque e limpou a unha do polegar. Tornou a enfiar o grampo no cabelo.

— É um São Francisco.

Ele então voltou-se lentamente para a tapeçaria que tomava toda a parede no fundo da loja. Aproximou-se mais. A velha aproximou-se também.

— Já vi que o senhor se interessa mesmo é por isso. Pena que esteja nesse estado.

O homem estendeu a mão até a tapeçaria, mas não chegou a tocá-la.

— Parece que hoje está mais nítida...

— Nítida? — repetiu a velha, pondo os óculos. Deslizou a mão pela superfície puída. — Nítida como?

— As cores estão mais vivas. A senhora passou alguma coisa nela?

A velha encarou-o. E baixou o olhar para a imagem de mãos decepadas. O homem estava tão pálido e perplexo quanto a imagem.

— Não passei nada. Por que o senhor pergunta?

— Notei uma diferença.

— Não, não passei nada, essa tapeçaria não aguenta a mais leve escova, o senhor não vê? Acho que é a poeira que está sustentando o tecido — acrescentou tirando novamente o grampo da cabeça. Rodou-o entre os dedos com ar pensativo. Teve um muxoxo: — Foi um desconhecido que trouxe, precisava muito de dinheiro. Eu disse que o pano estava por demais estragado, que era difícil encontrar um comprador, mas ele insistiu tanto. Preguei aí na parede e aí ficou. Mas já faz anos isso. E o tal moço nunca mais me apareceu.

— Extraordinário...

A velha não sabia agora se o homem se referia à tapeçaria ou ao caso que acabara de lhe contar. Encolheu os ombros. Voltou a limpar as unhas com o grampo.

— Eu poderia vendê-la, mas quero ser franca, acho que não vale mesmo a pena. Na hora que se despregar é capaz de cair em pedaços.

O homem acendeu um cigarro. Sua mão tremia. Em que tempo, meu Deus! em que tempo teria assistido a essa mesma cena. E onde?...

Era uma caçada. No primeiro plano, estava o caçador de arco retesado, apontando para um touceira espessa. Num plano mais profundo, o segundo caçador espreitava por entre as árvores do bosque, mas esta era apenas uma vaga silhueta cujo rosto se reduzira a um esmaecido contorno. Poderoso, absoluto era o primeiro caçador, a barba violenta como um bolo de serpentes, os músculos tensos, à espera de que a caça levantasse para desferir-lhe a seta.

O homem respirava com esforço. Vagou o olhar pela tapeçaria que tinha a cor esverdeada de um céu de tempestade. Envenenando o tom verde-musgo do tecido, destacavam-se manchas de um negro-violáceo e que pareciam escorrer da folhagem, deslizar pelas botas do caçador e espalhar-se no chão como um líquido maligno. A touceira na qual a caça estava escondida também tinha as mesmas manchas e que tanto podiam fazer parte do desenho como ser simples efeito do tempo devorando o pano.

— Parece que hoje tudo está mais próximo — disse o homem em voz baixa. — É como se... Mas não está diferente?

A velha firmou mais o olhar. Tirou os óculos e voltou a pô-los.

— Não vejo diferença nenhuma.

— Ontem não se podia ver se ele tinha ou não disparado a seta...

— Que seta? O senhor está vendo alguma seta?

— Aquele pontinho ali no arco...

A velha suspirou:

— Mas esse não é um buraco de traça? Olha aí, a parede já está aparecendo, essas traças dão cabo de tudo — lamentou disfarçando um bocejo. Afastou-se sem ruído com suas chinelas de lã. Esboçou um gesto distraído.

— Fique aí à vontade, vou fazer um chá.

O homem deixou cair o cigarro. Amassou-o devagarinho na sola do sapato. Apertou os maxilares numa contração dolorosa. Conhecia esse bosque, esse caçador, esse céu — conhecia tudo tão bem, mas tão bem! Quase sentia nas narinas o perfume dos eucaliptos, quase sentia morder-lhe a pele o frio úmido da madrugada, ah, essa madrugada! Quando? Percorrera aquela mesma vereda, aspirara aquele mesmo vapor que baixava denso do céu verde... Ou subia do chão? O caçador de barba encaracolada parecia sorrir perversamente embuçado. Teria sido esse caçador? Ou o companheiro lá adiante, o homem sem cara espiando por entre as árvores? Uma personagem de tapeçaria. Mas qual? Fixou a touceira onde a caça estava escondida. Só folhas, só silêncio e folhas empastadas na sombra. Mas detrás das folhas, através das manchas pressentia o vulto arquejante da caça. Compadeceu-se daquele ser em pânico, à espera de uma oportunidade para prosseguir fugindo. Tão próxima a morte! O mais leve movimento que fizesse, e a seta... A velha não a distinguira, ninguém poderia percebê-la, reduzida como estava a um pontinho carcomido, mais pálido do que um grão de pó em suspensão no arco.

Enxugando o suor das mãos, o homem recuou alguns passos. Vinha-lhe agora uma certa paz, agora que sabia ter feito parte da caçada. Mas essa era uma paz sem vida, impregnada dos mesmos coágulos traiçoeiros da folhagem. Cerrou os olhos. E se tivesse sido o pintor que fez o quadro? Quase todas as antigas tapeçarias eram reproduções de quadros, pois não eram?

Pintara o quadro original e por isso podia reproduzir, de olhos fechados, toda a cena nas suas minúcias: o contorno das árvores, o céu sombrio, o caçador de barba esgrouvinhada, só músculos e nervos apontando para a touceira. "Mas se detesto caçadas! Por que tenho que estar aí dentro?"

Apertou o lenço contra a boca. A náusea. Ah, se pudesse explicar toda essa familiaridade medonha, se pudesse ao menos... E se fosse um simples espectador casual, desses que olham e passam? Não era uma hipótese? Podia ainda ter visto o quadro no original, a caçada não passava de uma ficção. "Antes do aproveitamento da tapeçaria...", murmurou, enxugando os vãos dos dedos no lenço.

Atirou a cabeça para trás como se o puxassem pelos cabelos, não, não ficara do lado de fora, mas lá dentro, encravado no cenário! E por que tudo parecia mais nítido do que na véspera, por que as cores estavam mais fortes apesar da penumbra? Por que o fascínio que se desprendia da paisagem vinha agora assim vigoroso, rejuvenescido?...

Saiu de cabeça baixa, as mãos cerradas no fundo dos bolsos. Parou meio ofegante na esquina. Sentiu o corpo moído, as pálpebras pesadas. E se fosse dormir? Mas sabia que não poderia dormir, desde já sentia a insônia a segui-lo na mesma marcação da sua sombra. Levantou a gola do paletó. Era real esse frio? Ou a lembrança do frio da tapeçaria? "Que loucura!... E não estou louco", concluiu num sorriso desamparado. Seria uma solução fácil. "Mas não estou louco."

Vagou pelas ruas, entrou num cinema, saiu em seguida e quando deu acordo de si, estava diante da loja de antiguidades, o nariz achatado na vitrina, tentando vislumbrar a tapeçaria lá no fundo.

Quando chegou em casa, atirou-se de bruços na cama e ficou de olhos escancarados, fundidos na escuridão. A voz tremida da velha parecia vir de dentro dos travesseiros, uma voz sem corpo, metida em chinelas de lã: "Que seta? Não estou vendo nenhuma seta..." Misturando-se à voz, veio vindo o murmurejo das traças em meio de risadinhas. O algodão abafava as risadas que se entrelaçaram numa rede esverdinhada, compacta, apertando-se num tecido com manchas que escorreram até o limite da tarja. Viu-se enredado nos fios e quis fugir, mas a tarja o aprisionou nos seus braços. No fundo, lá no fundo do fosso podia distinguir as serpentes enleadas num nó verde-negro.

Apalpou o queixo. "Sou o caçador?" Mas ao invés da barba encontrou a viscosidade do sangue.

Acordou com o próprio grito que se estendeu dentro da madrugada. Enxugou o rosto molhado de suor. Ah, aquele calor e aquele frio! Enrolou-se nos lençóis. E se fosse o artesão que trabalhou na tapeçaria? Podia revê-la, tão nítida, tão próxima que se estendesse a mão, despertaria a folhagem. Fechou os punhos. Haveria de destruí-la, não era verdade que além daquele trapo detestável havia alguma coisa mais, tudo não passava de um retângulo de pano sustentado pela poeira. Bastava soprá-la, soprá-la!

Encontrou a velha na porta da loja. Sorriu irônica:

— Hoje o senhor madrugou.

— A senhora deve estar estranhando, mas...

— Já não estranho mais nada, moço. Pode entrar, pode entrar, o senhor conhece o caminho.

"Conheço o caminho", repetiu, seguindo lívido por entre os móveis. Parou. Dilatou as narinas. E aquele cheiro de folhagem e terra, de onde vinha aquele cheiro? E por que a loja foi ficando embaçada, lá longe? Imensa, real só a tapeçaria a se alastrar sorrateiramente pelo chão, pelo teto, engolindo tudo com suas manchas esverdinhadas. Quis retroceder, agarrou-se a um armário, cambaleou resistindo ainda e estendeu os braços até a coluna. Seus dedos afundaram por entre galhos e resvalaram pelo tronco de uma árvore, não era uma coluna, era uma árvore! Lançou em volta um olhar esgazeado: penetrara na tapeçaria, estava dentro do bosque, os pés pesados de lama, os cabelos empastados de orvalho. Em redor, tudo parado. Estático. No silêncio da madrugada, nem o piar de um pássaro, nem o farfalhar de uma folha. Inclinou-se arquejante. Era o caçador? Ou a caça? Não importava, não importava, sabia apenas que tinha que prosseguir correndo sem parar por entre as árvores, caçando ou sendo caçado. Ou sendo caçado?... Comprimiu as palmas das mãos contra a cara esbraseada, enxugou no punho da camisa o suor que lhe escorria pelo pescoço. Vertia sangue o lábio gretado.

Abriu a boca. E lembrou-se. Gritou e mergulhou numa touceira. Ouviu o assobio da seta varando a folhagem, a dor!

"Não...", gemeu de joelhos. Tentou ainda agarrar-se à tapeçaria. E rolou encolhido, as mãos apertando o coração.

AS FORMIGAS

Quando minha prima e eu descemos do táxi já era quase noite. Ficamos imóveis diante do velho sobrado de janelas ovaladas, iguais a dois olhos tristes, um deles vazado por um pedrada. Descansei a mala no chão e apertei o braço da prima.

— É sinistro.

Ela me impeliu na direção da porta. Tínhamos outra escolha? Nenhuma pensão nas redondezas oferecia um preço melhor a duas pobres estudantes, com liberdade de usar o fogareiro no quarto, a dona nos avisara por telefone que podíamos fazer refeições ligeiras com a condição de não provocar incêndio. Subimos a escada velhíssima, cheirando a creolina.

— Pelo menos não vi sinal de barata — disse minha prima.

A dona era uma velha balofa, de peruca mais negra do que a asa da graúna. Vestia um desbotado pijama de seda japonesa e tinha as unhas aduncas recobertas por uma crosta de esmalte vermelho-escuro descascado nas pontas encardidas. Acendeu um charutinho.

— É você que estuda medicina? — perguntou soprando a fumaça na minha direção.

— Estudo direito. Medicina é ela.

A mulher nos examinou com indiferença. Devia estar pensando em outra coisa quando soltou uma baforada tão densa que precisei desviar a cara. A saleta era escura, atulhada de móveis velhos, desparelhados. No sofá de palhinha furada no assento, duas almofadas que pareciam ter sido feitas com os restos de um antigo vestido, os bordados salpicados de vidrilho.

— Vou mostrar o quarto, fica no sótão — disse ela em meio a um acesso de tosse. Fez um sinal para que a seguíssemos. — O inquilino antes de vocês também estudava medicina, tinha um caixotinho de ossos que esqueceu aqui, estava sempre mexendo neles.

Minha prima voltou-se:

— Um caixote de ossos?

A mulher não respondeu, concentrada no esforço de subir a estreita escada de caracol que ia dar no quarto. Acendeu a luz. O quarto não podia ser menor, com o teto em declive tão acentuado que nesse trecho teríamos que entrar de gatinhas. Duas camas, dois armários e uma cadeira de palhinha pintada de dourado. No ângulo onde o teto quase se encontrava com o assoalho, estava um caixotinho coberto com um pedaço de plástico. Minha prima largou a mala e pondo-se de joelhos puxou o caixotinho pela alça de corda. Levantou o plástico. Parecia fascinada.

— Mas que ossos tão miudinhos! São de criança?
— Ele disse que eram de adulto. De um anão.
— De um anão? É mesmo, a gente vê que já estão formados... Mas que maravilha, é raro à beça esqueleto de anão. E tão limpo, olha aí — admirou-se ela. Trouxe na ponta dos dedos um pequeno crânio de uma brancura de cal. — Tão perfeito, todos os dentinhos!

— Eu ia jogar tudo no lixo, mas se você se interessa pode ficar com ele. O banheiro é aqui ao lado, só vocês é que vão usar, tenho o meu lá embaixo. Banho quente, extra. Telefone, também. Café das sete às nove, deixo a mesa posta na cozinha com a garrafa térmica, fechem bem a garrafa — recomendou coçando a cabeça. A peruca se deslocou ligeiramente. Soltou uma baforada final: — Não deixem a porta aberta senão meu gato foge.

Ficamos nos olhando e rindo enquanto ouvíamos o barulho dos seus chinelos de salto na escada. E a tosse encatarrada.

Esvaziei a mala, dependurei a blusa amarrotada num cabide que enfiei num vão da veneziana, prendi na parede, com durex, uma gravura de Grassmann e sentei meu urso de pelúcia em cima do travesseiro. Fiquei vendo minha prima subir na cadeira, desatarraxar a lâmpada fraquíssima que pendia de um fio solitário no meio do teto e no lugar atarraxar uma lâmpada de duzentas velas que tirou da sacola. O quarto ficou mais alegre. Em compensação, agora a gente podia ver que a roupa de cama não era tão alva assim, alva era a pequena tíbia que ela tirou de dentro do caixotinho. Examinou-a. Tirou uma vértebra e olhou pelo buraco tão reduzido como o aro de um anel. Guardou-as com a delicadeza com que se amontoam ovos numa caixa.

— Um anão. Raríssimo, entende? E acho que não falta nenhum ossinho, vou trazer as ligaduras, quero ver se no fim da semana começo a montar ele.

Abrimos uma lata de sardinha que comemos com pão, minha prima tinha sempre alguma lata escondida, costumava estudar até a madrugada e depois fazia sua ceia. Quando acabou o pão, abriu um pacote de bolacha Maria.

— De onde vem esse cheiro? — perguntei farejando. Fui até o caixotinho, voltei, cheirei o assoalho. — Você não está sentindo um cheiro meio ardido?

— É de bolor. A casa inteira cheira assim — ela disse. E puxou o caixotinho para debaixo da cama.

No sonho, um anão louro de colete xadrez e cabelo repartido no meio entrou no quarto fumando charuto. Sentou-se na cama da minha prima, cruzou as perninhas e ali ficou muito sério, vendo-a dormir. Eu quis gritar, tem um anão no quarto!, mas acordei antes. A luz estava acesa. Ajoelhada no chão, ainda vestida, minha prima olhava fixamente algum ponto do assoalho.

— Que é que você está fazendo aí? — perguntei.

— Essas formigas. Apareceram de repente, já enturmadas. Tão decididas, está vendo?

Levantei e dei com as formigas pequenas e ruivas que entravam em trilha espessa pela fresta debaixo da porta, atravessavam o quarto, subiam pela parede do caixotinho de ossos e desembocavam lá dentro, disciplinadas como um exército em marcha exemplar.

— São milhares, nunca vi tanta formiga assim. E não tem trilha de volta, só de ida — estranhei.

— Só de ida.

Contei-lhe meu pesadelo com o anão sentado em sua cama.

— Está debaixo dela — disse minha prima e puxou para fora o caixotinho. Levantou o plástico. — Preto de formiga! Me dá o vidro de álcool.

— Deve ter sobrado alguma coisa aí nesses ossos e elas descobriram, formiga descobre tudo. Se eu fosse você, levava isso lá pra fora.

— Mas os ossos estão completamente limpos, eu já disse. Não ficou nem um fiapo de cartilagem, limpíssimos. Queria saber o que essas bandidas vêm fuçar aqui.

Respingou fartamente o álcool em todo o caixote. Em seguida, calçou os sapatos e, como uma equilibrista andando no fio de arame, foi pisando firme, um pé diante do outro na trilha de formigas. Foi e voltou duas vezes. Apagou o cigarro. Puxou a cadeira. E ficou olhando dentro do caixotinho.

— Esquisito. Muito esquisito.

— O quê?

— Me lembro que botei o crânio em cima da pilha, me lembro que até calcei ele com as omoplatas para não rolar. E agora ele está aí no chão do caixote, com uma omoplata de cada lado. Por acaso você mexeu aqui?

— Deus me livre, tenho nojo de osso! Ainda mais de anão.

Ela cobriu o caixotinho com o plástico, empurrou-o com o pé e levou o fogareiro para a mesa, era a hora do seu chá. No chão, a trilha de formigas mortas era agora uma fita escura que encolheu. Uma formiguinha que escapou da matança passou perto do meu pé, já ia esmagá-la quando vi que levava as mãos à cabeça, como uma pessoa desesperada. Deixei-a sumir numa fresta do assoalho.

Voltei a sonhar aflitivamente, mas dessa vez foi o antigo pesadelo com os exames, o professor fazendo uma pergunta atrás da outra e eu muda diante do único ponto que não tinha estudado. Às seis horas o despertador disparou veementemente. Travei a campanhia. Minha prima dormia com a cabeça coberta. No banheiro, olhei com atenção para as paredes, para o chão de cimento, à procura delas. Não vi nenhuma. Voltei pisando na ponta dos pés e então entreabri as folhas da veneziana. O cheiro suspeito da noite tinha desaparecido. Olhei para o chão: desaparecera também a trilha do exército massacrado. Espiei debaixo da cama e não vi o menor movimento de formigas no caixotinho coberto.

Quando cheguei por volta das sete da noite, minha prima já estava no quarto. Achei-a tão abatida que carreguei no sal da omelete, tinha a pressão baixa. Comemos num silêncio voraz. Então me lembrei.

— E as formigas?

— Até agora, nenhuma.

— Você varreu as mortas?

Ela ficou me olhando.

— Não varri nada, estava exausta. Não foi você que varreu?

— Eu?! Quando acordei, não tinha nem sinal de formiga nesse chão, estava certa que antes de deitar você juntou tudo... Mas, então, quem?!

Ela apertou os olhos estrábicos, ficava estrábica quando se preocupava.

— Muito esquisito mesmo. Esquisitíssimo.

Fui buscar o tablete de chocolate e perto da porta senti de novo o cheiro, mas seria bolor? Não me parecia um cheiro assim inocente, quis chamar a atenção da minha prima para esse aspecto, mas ela estava tão deprimida que achei melhor ficar quieta. Espargi água-de-colônia Flor de Maçã por todo o quarto (e se ele cheirasse como um pomar?) e fui deitar cedo. Tive o segundo tipo de sonho, que competia nas repetições com o tal sonho da prova oral, nele eu marcava encontro com dois namorados ao mesmo tempo. E no mesmo lugar. Chegava o primeiro e minha aflição era levá-lo embora dali antes que chegasse o segundo. O segundo, desta vez, era o anão. Quando só restou o oco de silêncio e sombra, a voz da minha prima me fisgou e me trouxe para a superfície. Abri os olhos com esforço. Ela estava sentada na beira da minha cama, de pijama e completamente estrábica.

— Elas voltaram.

— Quem?

— As formigas. Só atacam de noite, antes da madrugada. Estão todas aí de novo.

A trilha de véspera, intensa, fechada, seguia o antigo percurso da porta até o caixotinho de ossos por onde subia na mesma formação até desformigar lá dentro. Sem caminho de volta.

— E os ossos?

Ela se enrolou no cobertor, estava tremendo.

— Aí é que está o mistério. Aconteceu uma coisa, não entendo mais nada! Acordei pra fazer pipi, devia ser umas três horas. Na volta, senti que no quarto tinha *algo* mais, está me entendendo? Olhei pro chão e vi a fila dura de formigas, você se lembra? Não tinha nenhuma quando chegamos. Fui ver o caixotinho, todas se trançando lá dentro, lógico, mas não foi isso o que quase me fez cair pra trás, tem uma coisa mais grave: é que os ossos estão mesmo mudando de posição, eu já desconfiava mas agora estou certa, pouco a pouco eles estão... Estão se organizando.

— Como, se organizando?

Ela ficou pensativa. Comecei a tremer de frio, peguei uma ponta do seu cobertor. Cobri meu urso com o lençol.

— Você lembra, o crânio entre as omoplatas, não deixei ele assim. Agora é a coluna vertebral que já está formada, uma vértebra atrás da outra, cada ossinho tomando o seu lugar, alguém do ramo está montando o esqueleto, mais um pouco e... Venha ver!

— Credo, não quero ver nada. Estão colando o anão, é isso?

Ficamos olhando a trilha rapidíssima, tão apertada que nela não caberia sequer um grão de poeira. Pulei-a com o maior cuidado quando fui esquentar o chá. Uma formiguinha desgarrada (a mesma daquela noite?) sacudia a cabeça entre as mãos. Comecei a rir e tanto que se o chão não estivesse ocupado, rolaria por ali de tanto rir. Dormimos juntas na minha cama. Ela dormia ainda quando saí para a primeira aula. No chão, nem sombra de formiga, mortas e vivas desapareciam com a luz do dia.

Voltei tarde essa noite, um colega tinha se casado e teve festa. Vim animada, com vontade de cantar, passei da conta. Só na escada é que me lembrei: o anão. Minha prima arrastara a mesa para a porta e estudava com o bule fumegando no fogareiro.

— Hoje não vou dormir, quero ficar de vigia — ela avisou.

O assoalho ainda estava limpo. Me abracei ao urso.

— Estou com medo.

Ela foi buscar uma pílula para atenuar minha ressaca, me fez engolir a pílula com um gole de chá e ajudou a me despir.

— Fico vigiando, pode dormir sossegada. Por enquanto não apareceu nenhuma, não está na hora delas, é daqui a pouco que começa. Examinei com a lupa debaixo da porta, sabe que não consigo descobrir de onde brotam?

Tombei na cama, acho que nem respondi. No topo da escada o anão me agarrou pelos pulsos e rodopiou comigo até o quarto, Acorda, acorda! Demorei para reconhecer minha prima que me segurava pelos cotovelos. Estava lívida. E vesga.

— Voltaram — ela disse.

Apertei entre as mãos a cabeça dolorida.

— Estão aí?

Ela falava num tom miúdo, como se uma formiguinha falasse com sua voz.

— Acabei dormindo em cima da mesa, estava exausta. Quando acordei, a trilha já estava em plena movimentação. Então fui ver o caixotinho, aconteceu o que eu esperava...

— O que foi? Fala depressa, o que foi?
Ela firmou o olhar oblíquo no caixotinho debaixo da cama.

— Estão mesmo montando ele. E rapidamente, entende? O esqueleto já está inteiro, só falta o fêmur. E os ossinhos da mão esquerda, fazem isso num instante. Vamos embora daqui.
— Você está falando sério?
— Vamos embora, já arrumei as malas.
A mesa estava limpa e vazios os armários escancarados.
— Mas sair assim, de madrugada? Podemos sair assim?
— Imediatamente, melhor não esperar que a bruxa acorde. Vamos, levanta!
— E para onde a gente vai?
— Não interessa, depois a gente vê. Vamos, vista isto, temos que sair antes que o anão fique pronto.
Olhei de longe a trilha: nunca elas me pareceram tão rápidas. Calcei os sapatos, descolei a gravura da parede, enfiei o urso no bolso da japona e fomos arrastando as malas pelas escadas, mais intenso o cheiro que vinha do quarto, deixamos a porta aberta. Foi o gato que miou comprido ou foi um grito?
No céu, as últimas estrelas já empalideciam. Quando encarei a casa, só a janela vazada nos via, o outro olho era penumbra.

NOTURNO AMARELO

Vi as estrelas. Mas não vi a lua, embora sua luminosidade se derramasse pela estrada. Apanhei um pedregulho e fechei-o com força na mão. Por onde andará a lua?, perguntei. Fernando arrancou o paletó no auge da impaciência e perguntou com voz esganiçada se eu pretendia ficar a noite inteira ali de estátua, enquanto ele teria que encher o tanque naquela escuridão de merda, porque ninguém lhe passava o raio da lanterna. Inclinei-me para dentro do carro de portas escancaradas, outra forma que ele tinha de manifestar o mau humor era deixar gavetas e portas escancaradas. Que eu ia fechando em silêncio, com ódio igual ou maior. Fiquei olhando o relógio embutido no painel.

— Onde está a lanterna?

— Mas onde poderia estar uma lanterna senão no porta-luvas, a princesa esqueceu?

Através do vidro, a estrela maior (Vênus?) pulsava reflexos azuis. Gostaria de estar numa nave, mas com o motor desligado, sem ruído, sem nada. Quieta. Ou neste carro silencioso, mas sem ele. Já fazia algum tempo que queria estar sem ele, mesmo com o problema de ter acabado a gasolina.

— As coisas ficariam mais fáceis se você fosse menos grosso — eu disse, entreabrindo a mão e experimentando a lanterna no pedregulho que achei na estrada.

— Está bem, minha princesa, se não for muito incômodo, será que podia me passar a lanterninha?

Quando me lembro dessa noite (e estou sempre lembrando) me vejo repartida em dois momentos: antes e depois. Antes, as pequenas palavras, os pequenos gestos, os pequenos amores culminando nesse Fernando, aventura medíocre de gozo breve e convivência comprida. Se ao menos ele não fizesse aquela voz para perguntar se por acaso alguém tinha levado a sua caneta. Se por acaso alguém tinha pensado em comprar um novo fio dental, porque este estava no fim. Não está, respondi, é que ele se enredou lá dentro, se a gente tirar esta plaqueta (tentei levantar a plaqueta) a gente vê que o rolo está inteiro mas enredado e quando o fio se enreda desse jeito, nunca mais!, melhor jogar fora e começar outro rolo. Não joguei. Anos e anos tentando desenredar o fio impossível, medo da solidão? Medo de me encontrar quando tão ardentemente me buscava?

— Dama-da-noite — eu disse, respirando de boca aberta o perfume que o vento trouxe de repente. — E vem daquele lado.

— Se o jantar não for bom, juro que viro a mesa — disse ele com sua falsa calma. Destapou o vasilhame. — Estou a fim de comer peixe, será que vai ter peixe?

O ruído do fiozinho de gasolina caindo no tanque. Os ruídos miúdos vindos da terra. Fui andando na direção *daquele lado*, conduzida pelo perfume que ficou mais pesado enquanto eu ia ficando mais leve. Agora, eu quase corria pela margem da estrada, as pontas franjadas do meu xale se abrindo em asa, fechei-as no peito. E atravessei a faixa de mato rasteiro que bordejava o caminho, a barra do meu vestido se prendendo nos galhinhos secos, poderia arregaçá-lo, mas era excitante me sentir assim, delicadamente retida pelos carrapichos (não eram carrapichos?) que eu acabava arrastando. Segui pela vereda. Tão familiar. Como a casa lá adiante, lá estava a casa alta e branca fora do tempo, mas dentro do jardim. O perfume que me servira de guia estava agora diluído, como se, cumprida a tarefa, relaxasse agora num esvaimento, posso? Vi as estrelas maiores nessa noite dentro da noite. Com naturalidade abri o portão e o som dos gonzos me saudou com a antiga ranhetice de dentes doloridos sob a crosta da ferrugem, entra logo, menina, entra! A folhagem completamente parada. Uma luz acendeu no andar superior da casa. Outra janela acendeu em seguida. No andar inferior, três das janelas projetaram sucessivamente seus fachos amarelos até a varanda: nas colunas de tijolinhos vermelhos as flores branquíssimas das trepadeiras pareciam feitas de material fosforescente. Então Ifigênia apareceu na porta principal, o avental nítido no fundo preto do vestido. Levou as mãos à cara, numa alegria infantil. Voltou-se para dentro.

— É dona Laurinha! Que bom que a senhora veio, dona Laurinha, que bom!

Abracei-a. Cheirava a bolo! — Bolo de fubá?

— Lógico — disse me examinando. Viera ao meu encontro na alameda e agora parava para me ver melhor: — A senhora está de vestido novo, não é novo?

Tomei-lhe o braço. Andava com dificuldade, as pernas curtas, inchadas. Ficamos um instante na varanda e sem saber por que (na hora eu não soube por que) evitei ficar muito exposta à luz da janela. Puxei-a para mais perto de mim.

— Estão todos aí?

Ela respondeu num tom secreto.

— Só falta o Rodrigo.

Apoiei-me na coluna.

— Mas ele não está no sanatório?

— Saiu faz duas semanas, a senhora não sabia? Mas fique sossegada, dona Laurinha, agora ele está melhor, mudou tanto — disse e tomou a ponta do meu xale, examinando a tessitura mais nos dedos do que através das grossas lentes dos óculos. — Acho que esse ponto é o mesmo da manta que fiz pra Avó, lembra? Só que usei uma lã mais grossa. Acho lindo xale branco, fiz pra dona Eduarda com linha de seda.

Interrompi seu devaneio, mas e o Rodrigo? O médico tinha dito que ele teria de ficar no mínimo mais seis meses, não foi o que os médicos disseram? Tinha fugido? Ele fugiu, Ifigênia? Agora ela fechava o xale em redor do meu ombro e seu gesto era o mesmo com que enrolava em meu pescoço uma meia embebida em álcool, um santo remédio pra dor de garganta, mas não pode mexer, menina. Ah, e tem que ser o pé de meia verde do pai. Mas espera, o Rodrigo: ele então parou de beber?

— Parou completamente. E já está ajuizado, a senhora lembra como ele falava gritando? Agora fala baixinho, mudou mesmo, acho até que sarou — disse apertando os olhos pra me ver. Estranhou meu cabelo curto, gostava mais quando eu usava assim comprido até o ombro, por que cortou, dona Laurinha, por que cortou?

— É que eu não sou mais aquela jovenzinha.

Ela protestou meio distraidamente, interessada ainda no xale, há de ver que paguei uma fortuna, não? Por que não lhe pedi que fizesse um? Impeliu-me para dentro da casa: tinha acendido a lareira com uma lenha sequinha, estava um fogo tão limpo.

— E não tentou mais, Ifigênia? Me responda, ele não tentou mais?

Ela arqueou as sobrancelhas inocentes, Se matar?

— Não, dona Laurinha, não tentou mais nem vai tentar, Deus é grande, um menino tão bom.

O vestíbulo de paredes forradas com o desbotado papel bege, salpicado de rosinhas pálidas. O retrato de Pedro I na pesada moldura de ouro gasto, circundado pelos retratos de homens severos e mulheres rígidas nos seus tafetás pretos. O rendilhado das traças avançando audaz na gola de renda de minha avó portuguesa até a fronteira do queixo sépia. A vitrina dos bibelôs de porcelana e jade. A larga passadeira de veludo vermelho ao longo do corredor — ponte silenciosa se oferecendo para me transportar ao âmago, do quê?!

— E tem também biscoito de polvilho, como a senhora gosta — anunciou Ifigênia tirando o meu xale. Dobrou-o no braço com gestos melífluos.
— Estou pensando sempre em fazer a vontade dos outros, mas os outros não pensam nunca em fazer a minha vontade. Uma coisa que eu queria tanto, que pedi tanto, será que a senhora ainda se lembra?

Enlacei-a: mas eu me lembrava, sim, a viagem! Prometera que a levaria de carro até Aparecida do Norte, queria cumprir uma promessa e me ofereci então para levá-la, convenci-a mesmo a desistir da reserva da passagem de ônibus, deixa que eu levo. Não levei. — Mas não foi por mal, Ifigênia, é que fui adiando, adiando e acabei me esquecendo. Me perdoa?

— Perdoar o quê? — ouvi alguém perguntar atrás de mim, Ducha?

Ela gostava de chegar assim sorrateira, na ponta das sapatilhas da cor do papel da parede. Notei que seu busto continuava tímido sob a malha preta de balé e ainda fina a cintura de menina, treze anos? Beijou-me com seu jeitinho polido, afetando indiferença. Tive que me conter para não puxá-la pelo cabelo, sua bobinha, bobinha!

— É que sua irmã prometeu me levar de carro até Aparecida e até hoje estou esperando — disse Ifigênia. Acariciava o xale dobrado no braço como se acaricia um gato. — Se eu soubesse, ia de ônibus.

Ducha compôs a pose de bailarina em repouso. Olhou para o teto.

— Ela também me prometeu uma coisa e não cumpriu. Era uma troca. Eu daria o suéter amarelo e ela me daria o espelho grande, aquele com o anjinho, eu precisava demais de um espelho pra ensaiar no quarto, e o que aconteceu? Minha irmãzinha ficou com o meu suéter, sim senhora, amanhã mesmo trago o espelho, prometeu. Jacaré trouxe? Continuo ensaiando (tapou os olhos fingindo chorar) num espelho pequenino assim!

Quis abraçá-la e ela se esquivou, não fosse desmanchar-lhe o cabelo engomado, preso na nuca por uma fivela. Nada de sentimentalismo, eu quero é meu espelho, parecia dizer com o labiozinho irônico, e meu coração se derramou de alegria e dor: sua malha preta guardava o cheiro dos armários profundos com resquícios dos saquinhos de plantas aromáticas. O passado confundido no futuro que me vinha agora na fumaça cálida da lareira. Ou na fumaça das velas? Apaguei-as. Não, velas não. Escuta, Ducha, juro que amanhã sem falta, sem falta! Acredita em mim? Amanhã!

— Pschiu... — ordenou ela, que me calasse porque a Avó na sala já se decidia por sua valsa de Chopin.

— Ducha — eu comecei e não consegui dizer mais nada.

Ela endireitou o corpo, levantou a cabeça. E, esquecida de mim, do espelho, de tudo enveredou diáfana pelo corredor afora, sou uma artista!, exprimia em cada movimento de inspiração desdenhosa. Uma artista.

— Parece uma fadinha dançando — suspirou Ifigênia ao me tomar pela cintura e me conduzir pelo tapete vermelho.

Ouvi ainda as batidas do meu coração tão assustado que me virei para Ifigênia, ela teria ouvido? Mas tinha o piano. E as vozes que já chegavam até nós, estávamos na metade do corredor. Passei as pontas dos dedos no braço do banco de madeira acetinada de tão lisa, um pescoço de cisne se enrodilhando numa curva mansa até descer e afundar a ponta do bico nas penas da asa entalhada na parte lateral do assento. Ao lado, mais uma vitrina de bibelôs com as xicrinhas de porcelana fina como casca de ovo, o famoso serviço de chá em miniatura, paixão da minha vida. Não pode!, ralhava a Avó, isso não é brincadeira de criança, você vai quebrar tudo. Não quebrei, engoli um bulinho, gostava de encher a boca com as peças que ia cuspindo em seguida na mesa de chá das bonecas. Senti de novo o bule na inquieta travessia da garganta.

— Estou tão contente, Ifigênia.

— Então por que está chorando?

Enxuguei depressa os olhos na barra do seu avental e recuei, não era estranho? Na cambraia alvíssima, nenhuma marca da minha pintura, só o úmido limpo das lágrimas. Fiquei sem saber que olhos tinham chorado, se os atuais ou os de outrora.

A sala parecia palpitar sob os reflexos do fogo forte da lareira, avermelhando os espelhos. O lustre. Vi o Avô na sua cadeira alta, jogando xadrez com o professor de Eduarda, não era aquele o professor de Eduarda? — A Eduarda arranjou um professor de alemão que é um pão! Ducha tinha me anunciado. Quer dizer que o alemão-pão já estava assim íntimo?, quis perguntar, mas Eduarda não me viu, estava entretida em preparar uma bebida na mesa posta no fundo da sala. Tinha uma flor nos cabelos, sinal de alegria, você está amando, Eduarda? Vi a Avó — querida, querida! — no seu vestido das cerimônias especiais. Tinha a cabeça inclinada para o teclado, acelerando o ritmo para acompanhar Ducha que se desencadeava numa grinalda de passos em torno do piano. Vi Ifigênia no seu andar curto, a respiração curta, arrumando os copos na mesa, era um ponche que Eduarda preparava. E me vi a mim mesma, tão mais velha e ainda guardando uma ambígua inocência — a suficiente inocência para me comportar com espontaneidade na reunião dos convidados certos. Um ou outro elemento esclarecedor, que eu já tinha ou ia ter, me advertia que era nova essa noite antiga. Contornei a cadeira do Avô, abracei-o por detrás. Ele me saudou, levantando na mão a torre que já ia movimentar.

— O professor conhece esta minha neta? A intelectual da tribo, hein, menina?

O alemão (era mais alto do que eu supunha) lembrou que já tínhamos sido apresentados e teve uma expressão meio maliciosa, meio divertida, a Eduarda falava muito em mim. Interroguei-o desconfiada, mas seu olhar penetrante fez baixar o meu. Voltou-se para o Avô que ainda segurava a torre. — É a sua vez.

Eduarda então me viu e veio trazendo um copo de ponche. Estava tão jovem de cabelos soltos e cara lavada que me perturbei: era como se me visse vir vindo ao meu próprio encontro num flagrante de juventude. Beijou-me rápida e me entregou o copo, Vamos, prova, acho que exagerei no açúcar, não está doce demais? Vi que a Avó me chamava para sentar a seu lado no banco do piano e vi ainda, num relance, atrás do piano, o grande relógio marcando nove horas. No copo, o ponche com a cereja descaroçada, exposta, boiando na superfície roxa.

— Vamos, beba, não tem veneno — ordenou Eduarda, e seu riso era tão confiante que achei injusto que o tempo continuasse e quis correr e agarrar o pêndulo do relógio, para! Esvaziei o copo trincando nos dentes a cereja cristalizada com pedaços de outras frutas que não identifiquei, Eduarda guardava o mistério dos ingredientes.

— Cuidado, Avô! — eu disse. — Você vai perder este cavalo.

O namorado de Eduarda piscou para ela. — Já está perdido.

O Avô olhou o cavalo. Me olhou. E, sacudindo a mão, fingiu uma cólera que estava longe de sentir quando me acusou de ter feito tramoia na nossa última partida, Fez tramoia, sim senhora, pensa que não sei? Aproveitou enquanto fui buscar meu suéter e mudou a torre que defendia minha rainha, eu não podia perder como perdi.

— Roubou a torre do Avô! Roubou a torre do Avô! — gritou Ducha, aproximando-se num salto e fugindo de novo, espavorida, de braço abertos e curvada como que impelida por uma ventania. — Ficou com meu espelho e com a torre do Avô!

— Mais grave do que roubar uma torre é roubar o noivo da prima — sussurrou Eduarda, me puxando pela mão.

Fomos para perto da janela. Seus olhos eram roxos como o ponche. Fechei os meus. Eduarda, eu queria tanto explicar isso e não tinha coragem, mas agora escuta, ele disse que vocês tinham rompido, que estava tudo acabado.

— Ele disse?

— Não tive culpa, Eduarda. Quando começamos o namoro, eu estava certa de que vocês dois já estavam afastados, que não se amavam mais. Não me senti traindo ninguém!

— Não?...

Vi as estrelas brilhando próximas. Próximo também o perfume da noite que me tomou e me devolveu íntegra. Verdadeira. Encarei Eduarda, pela primeira vez realmente a encarei. Mas era preciso falar? Era mesmo preciso? Ficamos nos olhando e meu pensamento era agora um fluxo que passava das minhas mãos para as suas, estávamos de mãos dadas: sim, eu era ciumenta, insegura, quis me afirmar e tudo foi só decepção, sofrimento. Tinha o Rodrigo (meu Deus, o Rodrigo!) que era o meu querido amor, um amor tumultuado, só imprevisão, só loucura, mas amor. E achei que seria a oportunidade de me livrar dele, a troca era vantajosa, mas calculei mal, logo nos primeiros encontros descobri que a traição faz apodrecer o amor. Na rua, no restaurante, no cinema, na cama e em toda parte, Eduarda, você esteve presente. Cheguei um dia a sentir sua respiração. Foi ficando tão insuportável que na última vez, quando ele entrou na cabine para ouvir um disco, eu não aguentei e fugi, estávamos numa loja comprando discos. Quero ouvir este, ele disse entrando na cabine envidraçada, me espera um instante. Fui até a vitrina, fingindo procurar Deus sabe o quê e então aproveitei, fugi de cabeça baixa, sem olhar para os lados. Eduarda, diga que acredita em mim, diga que acredita!

Seus olhos, que estavam escuros, foram ficando transparentes. Agora está tudo bem, Laura, estamos juntas de novo — parecia me dizer. Estamos juntas para sempre — e apertou com força a minha mão. Mas não deixou que eu me comovesse mais, pegou um biscoito de polvilho que Ifigênia ofereceu, levou-o à minha boca, Vamos, você está muito magra, precisa comer, não fique assim triste. Comecei a me sentir uma coisa miserável: — Fiz trapaça no jogo com o Avô — eu disse, mas me engasguei com o biscoito e Eduarda desatou a rir como na festa das bonecas, quando engoli o bulinho. Sua pulseira, uma argola de ouro, ficou enganchada no meu vestido, tentou tirá-la. Fica com ela, Laura, nossa nova aliança, você gosta desses símbolos. Mas a pulseira, já solta do meu vestido, não se soltava do seu pulso, argola inteiriça que só podia sair pela mão, Engordei, está vendo? Engordei de feliz, estou feliz demais com o meu alemão, não é lindo? O fogo da lareira se refletia na sua face como no lustre, no espelho: Tenho vontade de gritar de tanto amor! Enlaçou-me e saímos dançando, rindo feito duas tontas até chegarmos ao piano, onde ela me entregou à Avó, Fica aí que vou salvar meu amado, vovô deve estar querendo jogar outra partida, disse. E ficou séria. Apertou meu braço.

— O Rodrigo não demora.

— Quem? — perguntou a Avó. Afastou-se para me dar lugar no banco. — Quem não demora?

— O Rodrigo — disse Ducha abrindo os braços num suave movimento de asas e desabando no almofadão.

Quando ela se inclinou para amarrar a fita da sapatilha, vi o menininho deitado no tapete. Estava de pijama e brincava com os cubos coloridos de uma caixa: mas ele já estava aqui quando cheguei?

— Você emagreceu, Laurinha — lamentou a Avó, examinando-me afetuosa mas fiscalizante, e será que eu não estava pintada demais? Me preferia mil vezes sem pintura, como a Eduarda. E por que eu estava assim trêmula? — Você está gelada, menina, tome este chá — ordenou pegando a xícara. Era por causa dele que estava tão tensa? Do (disse o nome em voz baixa) Rodrigo?...

Seus cabelos faceiramente frisados tinham reflexos de um azul-lilás que me fez pensar em violetas. Agora procurava me acalmar no mesmo tom com que vinha me dizer, na hora do boa-noite, que não tem nada essa história de fantasmas, isso tudo é invenção, minha bobinha, vamos, durma. O Rodrigo? Mas agora ele está curado, não se preocupe mais, foi uma crise muito séria, não nego, mas passou. Passou. Ainda ontem conversamos, ele está pensando em recomeçar os estudos, já faz planos — disse e senti no seu olhar (ou no meu?) algo de reticente. Por um instante a Avó me pareceu feita de um úmido tecido azul-lilás, do mesmo tom dos cabelos. — Não vá ainda, espera! — pedi, e fiquei sem saber se gritei. Na lareira o fogo era mais brando.

— Às vezes volta o medo — eu disse.

— Medo do quê, minha querida? Mas você não está amando? Então, precisa amar — disse, olhando para as minhas mãos. — Nenhum anel especial? Nenhum namorado especial? Pois a Eduarda, que tinha a minha idade (hesitou, tomando o *lorgnon* dependurado na corrente de ouro)... Mas não tínhamos a mesma idade? Sempre pensei que vocês duas regulassem, porque quando a Ivone estava de barriga, a sua mãe também... (Fez contas nos dedos mas se perdeu nas datas.) — O que eu queria dizer é que a Eduarda arrumou esse namorado de repente, tudo foi no galope. Vão se casar em dezembro, não é maravilhoso?

Sua voz passava agora para um outro plano, enquanto ia entrando em detalhes: depois do casamento seguiriam para a Alemanha, os pais dele moravam lá, numa cidadezinha que tinha um nome muito gracioso, Ulm, mas depois da visita viajariam por toda a Europa no período das grandes férias. A Ducha estava ardendo de vontade, queria ir junto para se matricular num curso de balé em Paris, uma pirralha dessa, vê se pode! Não estava era gostando nada dessa ideia de avião, por que os jovens têm mania de avião? Tão melhor um vapor, ih, as deliciosas viagens por mar, ainda se lembrava bem quando foi com o Avô para a Itália, tantas brincadeiras de bordo, os jogos, as festas! Mas a hora melhor ainda era aquela em que se recostava na cadeira do tombadilho, puxava a manta até os joelhos e ficava lendo um romance de Conan Doyle. Ou simplesmente olhando o mar.

— Será que ele ainda pensa em mim?

A Avó demorou para responder. Fez um ligeiro movimento, juntando as mãos espalmadas, como se fechasse um livro, Quem, o Rodrigo? Sim, pensava, mas de modo diferente, sem aflição, sem rancor, estava bastante mudado depois da tentativa. Se ele pudesse sair, fazer uma viagem, mas uma viagem por mar, num vapor como aquele, não lembrava o nome do vapor, não era curioso? Mas não se esquecia das gaivotas. Do vento.

— Onde ele conseguiu o revólver?

A palavra *revólver* caiu-lhe no colo como uma gaivota. Ou um peixe. A Avó assustou-se, sacudindo do vestido os farelos de biscoito. Limpou com a ponta do lenço a gota de chá que escorreu no teclado, O revólver? Quem é que sabe? Sempre foi um menino tão reservado, vivia inventando um mundo particular, só dele, não deixava ninguém entrar nesse mundo.

— Ele me chamou, mas recusei.

Ducha apoiou-se nos cotovelos e veio se arrastando pelo tapete até tocar no meu sapato.

— Que chique este salto dourado — disse e fez um sinal para que me abaixasse, queria falar no meu ouvido. — A bala passou um tantinho assim perto do coração.

— Vão pegar por lá um inverno forte. Se fossem de vapor não sentiriam a mudança tão rápida — suspirou a Avó. Voltou-se enervada para a Ducha que lhe apontava o piano, Quero dançar, toca, toca! — Espera, menina, espera! Se você não precisa de intervalo, eu preciso.

Olhei para as cortinas pesadas. Para a cristaleira que me pareceu menos brilhante sob a leve camada de pó. O tempo não alcança você, Avó, eu disse. Estão todos iguais. Iguais.

— O piano mudou, querida — disse a Avó sorrindo e dando um acorde grave. — Mandei afinar, lembra como ele estava? E se você não sabe é porque nunca vem me visitar. Fiquei doente, sarei, fiquei doente de novo e nem um telefonema. Nada. Podia ter morrido e minha neta nem ficaria sabendo porque não ligou uma só vez para saber, a Avó, como vai?

— Vovó querida, você sabe muito bem como amo vocês. É que tenho andado mesmo sumida, mas você sabe.

— Sei, Laurinha. Mas gosto de provas, tão importantes as provas.

Ducha fez uma careta.

— Que feio, Laura! A Chapeuzinho Vermelho atravessou um bosque cheio de lobos só pra levar o bolo pra Avozinha que estava com resfriado, não era um resfriado? Pôs-se na ponta dos pés, pronta para dançar. Teve seu sorrisinho: — Não veio buscar Ifigênia que queria cumprir a promessa, não trouxe meu espelho, roubou a torre do Avô, roubou o noivo de Eduarda e não visitou a Avó! É demais!

— Ducha, vai dançar, vai — pediu a Avó. Começara uma melodia um tanto dissonante. Esgarçada. — Pronto, vai dançar!

— E ainda por cima faz a *femme fatale* — acrescentou Ducha rapidamente, com o gesto de quem empunha uma arma e aponta contra o próprio peito. Acionou o gatilho — Pum! ... (Cambaleou, esboçando o movimento de se desvencilhar da arma. Estendeu-se no almofadão, a mão direita apertando o peito, a outra acenando na despedida frouxa.) — *Me mataria em março se te assemelhasses às coisas perecíveis!* — recitou, arquejante. E levantou-se de um salto. — Por que março? H. H. é que sabe. Se a poeta diz que é em março, tem que ser em março... Foi recuando, os braços em arco: — Março ou abril?...

— É um amor de menina, mas cansa um pouco — murmurou a Avó, inclinando-se para me beijar. — Esta música é minha, você gosta? Vai se chamar Noturno Amarelo.

Antes mesmo de me aproximar da lareira, adivinhei o fogo se reavivar num último esforço. Ifigênia tocou no meu braço, pensei que fosse me oferecer alguma coisa.

— O Rodrigo acabou de chegar — avisou.

Escondi a cara nas mãos, mas mesmo assim podia vê-lo na minha frente, com seu *jeans* puído e o blusão preto com reforços de couro nos cotovelos. Segurou-me pelos punhos e me descobriu. Ardia o carvão dos seus olhos, mas tinha o mesmo doce sorriso de antes. Esperou. Quando consegui falar, a cinza já cobria completamente o braseiro.

— Eu te neguei, Rodrigo. Te neguei e te traí e traí Eduarda. Mas queria que soubesse o quando amei vocês dois.

Ele arrumou meu cabelo. Acendeu meu cigarro. Riu.

— Se a gente não trair os mais próximos, a quem mais a gente vai trair? Ficou sério. — Éramos muito jovens, querida.

Éramos? Levantei a cabeça. Já não me importava que ele me visse de frente, queria mesmo me expor assim devastada, ele então sabia? Ouvi minha voz vindo de longe.

— Passei a noite me desculpando, só faltava você. Oh Deus! como eu precisava desse encontro — disse, tocando no seu peito.

Ele estremeceu. Então me lembrei, Mas ainda dói, Rodrigo? E continuam as bandagens? Ele pegou um copo de ponche, me fez beber: que eu não me impressionasse com isso, era mesmo um sensível e nos sensíveis essa zona é sensível demais, demora a cicatrização.

Nem precisamos falar. Dentro de mim (e dele) agora era só a calma. O silêncio. Comecei a sentir frio, fui buscar o xale. Quando voltei, não o encontrei mais. E o Rodrigo? — perguntei a Ifigênia. Ela levava pela mão o menininho que resistia, O Rodrigo!? Mas agora mesmo ele não estava aqui com você?

— Eu sei fazer cara de bicho, olha, tia! — o menino gritou espetando os dedos na testa. — Olha o bicho!

Tudo então aconteceu muito rápido. Ou foi lento? Vi o Avô dirigir-se para a porta que ficava no fundo da sala, pegar a chave que estava no chão, abrir a porta, deixar a chave no mesmo lugar e sair fechando a porta atrás de si. Foi a vez da Avó, que passou por mim com sua bengala e seu *lorgnon*, me fez um aceno e, deixando a chave no mesmo lugar, seguiu o Avô. Vi Eduarda de longe, ajudando o noivo a vestir a capa, Mas onde foram todos?, perguntei e ela não ouviu ou não entendeu. Estavam rindo quando foram se aproximando da porta, enlaçados. Num salto, Ducha varou por entre ambos, pegou a chave, ajoelhou-se num só joelho e pousou a chave no outro, flexionado, inclinando-se na reverência de um pajem medieval oferecendo seus serviços.

Desviei a cara, não quis mais olhar. Por pudor, continuei de costas quando Ifigênia passou, arrastando o menino que queria brincar mais, Não pode, amor, nada de manha, fica bonzinho. A pirâmide dos cubos coloridos que ele erguera no tapete foi desabando através das minhas lágrimas. Quando olhei de novo, a sala já estava vazia. Vi o jogo de xadrez interrompido ao meio. O piano aberto (ela terminou o Noturno?) e o livro em cima da lareira. A xícara pela metade. A fivela de Ducha esquecida no almofadão. A pirâmide. Por que os objetos (os projetos) me comoviam agora mais do que as pessoas? Olhei o lustre: ele parecia tão apagado quanto a lareira.

Saí pela porta da frente e antes mesmo de dar a volta na casa já tinha adivinhado que atrás da porta por onde todos tinham saído não havia nada, apenas o campo.

Atravessei o jardim que não era mais jardim sem o portão. Sem o perfume. A vereda (mais fechada ou era apenas impressão?) fora desembocar na estrada: o carro continuava lá adiante com suas portas abertas e seus dois faróis acesos. Fernando tapava o vasilhame.

— Demorei muito?

Ele vestiu o casaco. Acendeu um cigarro, se eu demorei? Mas como? Eu tinha saído?

Entrei no carro e me vi no espelho iluminado pela lanterna: minha pintura estava intacta.

— Sabe as horas, Fernando?

— Nove em ponto. Por quê? — perguntou ele ligando o rádio do painel. Pôs a mão no meu joelho: — Você está linda, amor, mas tão distante, tão fria. Ih!, que merda de música — gritou, mudando de estação. — Será que o jantar vai ser bom? Hoje estou a fim de comer peixe.

Fiquei olhando a Via Láctea através do vidro. Fechei os olhos. Fechei com força a argola de Eduarda que ainda trazia na mão.

— Não é um esquilo? — perguntou Fernando apontando excitado para a estrada. — Ali, não está vendo?

— Pode ser uma lebre.

— Mas agora não é hora de lebre!

Nem de esquilo, pensei em dizer ou disse. Mas nem ouviu.

A PRESENÇA

Quando entrou pela alameda de pedregulhos e parou o carro defronte do hotel, o casal de velhos que passeava pelo gramado afastou-se rapidamente e ficou espiando de longe. O velho porteiro que o atendeu no balcão de recepção também teve um movimento de recuo. Ele pousou a mala no chão e pediu um apartamento. Por quanto tempo? Não estava bem certo, talvez uns vinte dias. Ou mais. O porteiro examinou-o da cabeça aos pés. Forçou o sorriso paternal, disfarçando o espanto com uma cordialidade exagerada, Mas o jovem queria um apartamento? Ali, *naquele* hotel?! Mas era um hotel só de velhos, quase todos moradores fixos antiquíssimos, que graça um hotel desses podia ter para um jovem? Depois das nove da noite, silêncio absoluto, porque todos dormiam cedíssimo. E a comida tão insípida, sem gordura, sem sal, com pratos sem nenhuma imaginação dentro de dietas rigorosas — pois não eram todos velhos? E os velhos têm problemas de saúde, tantas doenças reais e imaginárias, artritismo, bronquite crônica, asma, pressão alta, flebite, enfisema pulmonar... Sem falar nas doenças mais dramáticas. Ocioso enumerar tudo. A própria velhice já era uma doença. Um jovem assim saudável passar suas férias num hotel tão frio quanto um hospital?! Nos hospitais ao menos havia uma esperança, a dos pacientes saírem curados, mas a doença da velhice era sem cura e com a agravante de piorar com o tempo. Injusto oferecer-lhe esse quadro de decadência que apesar de mascarada (os hóspedes pertenciam à burguesia) era por demais deprimente. O prazer com que a juventude se vê refletida num espelho! Mas a velhice ali concentrada chegava a ser tão cruel que os espelhos acabaram por ser afastados. Na última reforma, foram removidos os espelhos que apresentavam sinais mais acentuados de decomposição nas manchas porosas e bordas amarelecidas, contraídas sob o cristal como um fino papel queimando brandamente. Com esses, foram levados também os espelhos maiores, da sala de refeições, e que ainda estavam em bom estado. A substituição nunca foi providenciada e nem se voltou a falar no assunto, mas seria mesmo preciso? Era evidente o alívio dos hóspedes livres daquelas testemunhas geladas, captando-os em todos os ângulos: mais do que suficientes, os espelhos menores dos banheiros, apenas o essencial para uma barba, um penteado. Um irrisório carmim. E a quantidade de espelhos na inauguração do hotel! Estaria o jovem com disposição para ouvir mais? Bem, tinha sido há cinquenta anos. Nessa época, não passava de um rapazola que ajudava a carregar a bagagem. As famílias chegavam com os carros pojados de malas, caixas, pajens, crianças, bicicletas. Nas longas temporadas de verão, a piscina (que ainda se conservava apesar dos rachões) ficava fervilhante. As danças até de madrugada. O jogo. E as competições na quadra de tênis, as cavalgadas pelo campo, o hotel dispunha de ótimos cavalos. Charretes. Mas aos poucos os hóspedes mais velhos foram dominando, à medida que os mais jovens começaram a rarear, não sabia explicar o motivo, o fato é que a transformação — embora lenta — fora definitiva. Um hotel-mausoléu. Que jovem podia se sentir bem num hotel assim? Se ele prosseguisse pela mesma estrada por onde viera, alguns quilômetros adiante encontraria um hotel excelente, tinha várias setas indicando o caminho, ficava num bosque bastante aprazível. E pelo que ouvira contar o ambiente era alegre. Jovial.

Ele tirou os documentos do bolso da jaqueta de couro e colocou-os no mármore do balcão: queria um apartamento nesse hotel e só não insistiria se o regulamento tivesse uma cláusula que proibisse um jovem de vinte e cinco anos de hospedar-se ali.

O velho porteiro passou as pontas dos dedos vacilantes na gola puída do uniforme pardo. Já não sorria quando examinou os documentos do recém--chegado. Devolveu-os. Os olhos de um azul-pálido estavam frios. Talvez não tivesse sido suficientemente claro, talvez, mas o fato é que se ele não se importava com a presença dos velhos, era bem provável que os velhos se importassem (e quanto!) com a sua presença. Tão fácil de entender, como um jovem assim sagaz não entendia? Os velhos formavam uma comunidade com seus usos e costumes. Uniram-se, e a antiga fragilidade, tão agredida além daqueles portões, foi se transformando numa força. Num sistema. Eram seres obstinados. Na secreta luta para garantir a sobrevivência, perderam a memória do mundo que os rejeitara e, se não eram felizes, pelo menos conseguiram isso, a segurança. O direito de morrer em paz. No segundo andar do hotel, por exemplo, vivia uma atriz de revista que fora muito famosa. Muito amada. Reduzida agora a um simples destroço, fechara-se na sua concha, apavorada com a curiosidade do público, com o realismo da imprensa ávida por fotografá-la na sua solidão, Mas o que vocês querem de mim?, ela gritou ao repórter que conseguiu apanhá-la numa cilada e publicar a foto com a manchete que a fez chorar dois dias. Quando o elevador quebrou, só ela, que ainda andava com certa agilidade, continuou no segundo andar, os outros foram transferidos para o primeiro, por causa da escada. Nesse andar morava um antigo ídolo do atletismo que chegara a duas olimpíadas. Vivia numa cadeira de rodas. E como não lia jornais nem ligava a televisão (quem quisesse, tinha seu televisor particular) conseguira esquecer que a corrida com a tocha acesa prosseguia gloriosa sem ele. Esqueceu, assim como foi esquecido. As medalhas e troféus que nos primeiros tempos de invalidez não podia nem ver estavam agora expostos na estante do seu quarto, às vezes os olhava, mas sem a antiga emoção, integrados na sua senilidade como o saco de água quente ou a cadeira. O vizinho ao lado era um comerciante esclerosado que em poucos anos regredira à juventude, depois à adolescência e agora estava ficando criança de novo. Mas uma criança que era protegida até pelo mais neurastênico dos hóspedes, um homossexual que morava com um gato velhíssimo. Tivera na mocidade uma experiência trágica: quando o amigo tentou matá-lo, todos ficaram sabendo o que destemperadamente procurara esconder, ambos tinham família e eram conhecidíssimos. Hoje, é claro, ninguém se importava com isso, mas naquele tempo era só rejeição. Sofrimento. Reencontrara um certo equilíbrio naquele hotel, vendo as gêmeas da paciência abrir o leque do baralho no taciturno jogo do silêncio. Ouvindo a gorda solteirona do bandolim tocar pontualmente aos sábados. Relendo na pequena biblioteca (escassos volumes já gastos) *Os Três Mosqueteiros*. Ou *O Conde de Monte Cristo*. Uma tênue cinza baixara sobre essas cabeças. Sobre seus guardados. E agora chegava um jovem para ficar. Para lembrar (e com que veemência!) o que todos já tinham perdido, beleza. Amor. Um jovem com dentes, músculos e sexo, perfeito como um deus — Não, não precisava rir! —, a antiga medida de todas as coisas. Essa medida eles já tinham esquecido. Com sua simples presença, iria revolver tudo: a revolução da memória. E passara o tempo das revoluções, ninguém queria renovar, mas conservar. Assegurar essa sobrevida, o que já significava um verdadeiro heroísmo, os mais fracos tinham morrido todos. Restaram esses, empenhados numa luta terrível porque dissimulada, eram dissimulados — será que estava sendo claro? Não eram bons.

Ele acendeu o cigarro e ofereceu outro ao porteiro, que agradeceu, não podia fumar. Olhou o lustre com longos pingentes de cristal em formato de lágrimas pesadas de poeira. Sorriu enquanto apontava na direção do pequeno elevador dourado e redondo, Mas é lindo, parece uma gaiola! Abriu o zíper da jaqueta de couro, fazia calor. O porteiro inclinou-se sobre o grosso caderno de registro, molhou a caneta no tinteiro, mas ficou com a mão parada no ar. Arqueou as sobrancelhas fatigadas: será que o amigo não percebia que ia ser importuno? Um intruso? Representava o direito do avesso. Ou o avesso desse direito? O problema é que ele, um simples porteiro, não podia sequer defendê-lo se a comunidade decidisse sutilmente pela sua exclusão. Por mais tolos que esses velhos pudessem parecer, guardavam o segredo de uma sabedoria que se afiava na pedra da morte. Era preciso lembrar que usariam de *todos* os recursos para que as regras do jogo fossem cumpridas: até onde poderia chegar o ódio por aquele que viera humilhá-los, irônico, provocativo, tumultuando a partida?

O jovem se animara com a ideia da piscina. Mas se nessa mesma piscina coalhada de folhas aparecesse uma manhã seu belo corpo boiando, tão desligado quanto as folhas? Eles fechariam depressa a porta, devido à correnteza de vento, os velhos não gostam de vento. E voltariam satisfeitos aos seus assuntos. Ao seu joguinho dos domingos, aquele loto tão alegre, os cartões sendo cobertos com grãos de milho enquanto o anunciador (nenhum estranho por perto?) vai cantando os números com as brincadeiras de costume, sempre as mesmas, porque eles se divertem com as repetições, como as crianças: número vinte e dois, dois patinhos na lagoa! Quarenta e quatro, bico de pato! Número três, gato escocês! Tão brincalhões esses velhinhos...

O jovem riu, tirou os óculos escuros e sua fisionomia se acendeu, tinha lâminas douradas no fundo das pupilas. Por acaso o porteiro lia romance policial, os romances da velhinha inglesa? Não? Ah, preferia palavras cruzadas. Apanhou a mala. Se possível, um apartamento no segundo andar. O jantar era às sete, não? Ótimo, tinha tempo para dar umas boas braçadas, a tarde estava uma delícia. Nenhuma importância se a piscina estava abandonada, a água não era corrente? Pediria apenas que lhe levassem um pouco de gelo, gostava de bebericar na piscina. Não, não precisava de uísque, trouxera sua marca.

Uma velhinha de gargantilha lilás cruzou o saguão na sua cadeira de rodas, empurrada por uma calma enfermeira de touca: ia gesticulando, brava, deixando escapar resmungos por entre as gengivas duras, enquanto a outra seguia atrás, voltando-se para os lados e sorrindo, *Poor, poor darling!* Hoje está meio irritada, mas também, com oitenta e nove anos!... *Poor, poor darling!* O recém-chegado fez uma profunda reverência na direção de ambas e voltou-se para o porteiro que mostrava, num sorriso constrangido, a dentadura opaca. Quer dizer que insistia mesmo em ficar? Bem, tinha um apartamento bastante ensolarado no segundo andar, dando para a piscina. Espero que o senhor fique satisfeito, acrescentou, enquanto fazia sinal para um velho de avental até os joelhos. Por favor, pode conduzir o novo hóspede? Em largas passadas o jovem galgou os degraus de veludo vermelho e foi esperar o empregado lá em cima, segurando a mala que em vão o velho tentou levar. Quando entrou no apartamento seguido pelo empregado com seu molho de chaves, aspirou com uma expressão de prazer o esmaecido perfume que parecia vir dos móveis antiquados, lavanda? E perguntou, enquanto abria a mala, se por ali não havia fantasmas, sempre sonhara com um hotel de fantasmas. Os fantasmas somos nós, respondeu-lhe o velho, e ele riu alto. Tirou a garrafa de uísque da mala. Ligou o rádio.

Quando subiu ao trampolim, notou um vulto que espiava através da cortina rendada de uma das janelas. Baixou o olhar divertido para a água de um verde profundo, onde as folhas boiavam num ondulado calmo. Abriu os braços. Saltou. Enquanto nadava de costas, entreviu uma cabeça branca na fresta de uma janela do primeiro andar. Logo apareceu outra cabeça (de homem?) que ficou um pouco atrás, na sombra. Chegou-lhe vagamente o fiapo triturado de uma discussão antes que a janela se fechasse com força. Ele deitou-se no banco de pedra e ali ficou de braços pendentes, a tanga vermelha escorrendo água, os olhos cerrados. Passou cariciosamente as pontas dos dedos no peito onde os pelos dourados de sol já começavam a secar. Riu silenciosamente enquanto apanhava o copo que deixara no chão: seus movimentos se fragmentavam em câmara lenta, calculados.

No jantar, antes mesmo de provar a comida, despejou o sal, o molho inglês, a pimenta e bateu palmas vigorosas para os três velhos músicos — um pianista, um violinista e o careca do rabecão — que tocaram antigas peças que alguns hóspedes (poucos desceram para o jantar) ouviram imperturbáveis. Achou um certo amargor na goiabada com queijo.

Ao se deitar, depois de ter tomado o chá servido às vinte e umas horas, ele já não se sentia bem.

A MÃO NO OMBRO

O homem estranhou aquele céu verde com a lua de cera coroada por um fino galho de árvore, as folhas se desenhando nas minúcias sobre o fundo opaco. Era uma lua ou um sol apagado? Difícil saber se estava anoitecendo ou se já era manhã no jardim que tinha a luminosidade fosca de uma antiga moeda de cobre. Estranhou o úmido perfume de ervas. E o silêncio cristalizado como num quadro, com um homem (ele próprio) fazendo parte do cenário. Foi andando pela alameda atapetada de folhas cor de brasa, mas não era outono. Nem primavera, porque faltava às flores o hálito doce avisando as borboletas, não viu borboletas. Nem pássaros. Abriu a mão no tronco da figueira viva mas fria: um tronco sem formigas e sem resina, não sabia por que motivo esperava encontrar a resina vidrada nas gretas. Não era verão. Nem inverno, embora a frialdade limosa das pedras o fizesse pensar no sobretudo que deixara no cabide do escritório. Um jardim fora do tempo mas dentro do meu tempo, pensou.

O húmus que subia do chão o impregnava do mesmo torpor da paisagem. Sentiu-se oco, a sensação de leveza se misturando ao sentimento inquietante de um ser sem raízes: se abrisse as veias, não sairia nenhuma gota de sangue, não sairia nada. Apanhou uma folha. Mas que jardim era esse? Nunca estivera ali nem sabia como o encontrara. Mas sabia — e com que força — que a rotina fora quebrada porque alguma coisa ia acontecer, o quê?! Sentiu o coração disparar. Habituara-se tanto ao quotidiano sem imprevistos, sem mistérios. E agora a loucura desse jardim atravessado em seu caminho. E com estátuas, aquilo não era uma estátua?

Aproximou-se da mocinha de mármore arregaçando graciosamente o vestido para não molhar nem a saia nem os pés descalços. Uma mocinha medrosamente fútil no centro do tanque seco, pisando com cuidado, escolhendo as pedras amontoadas em redor. Mas os pés delicados tinham os vãos dos dedos corroídos por uma época em que a água chegara até eles. Uma estria negra lhe descia do alto da cabeça, deslizava pela face e se perdia ondulante no rego dos seios meio descobertos pelo corpete desatado. Notou que a estria marcara mais profundamente a face, devorando-lhe a asa esquerda do nariz. Mas por que a chuva se concentrara só naquele percurso, numa obstinação de goteira? Ficou olhando a cabeça encaracolada, os anéis se despencando na nuca que pedia carícia. Me dá sua mão que eu ajudo, ele disse e recuou: um inseto penugento, num enrodilhamento de aranha, foi saindo de dentro da pequenina orelha.

Deixou cair a folha seca, enfurnou as mãos nos bolsos e seguiu pisando com a mesma prudência da estátua. Contornou o tufo de begônias, vacilou entre os dois ciprestes (mas o que significava essa estátua?) e enveredou por uma alameda que lhe pareceu menos sombria. Um jardim inocente. E inquietante como o jogo de quebra-cabeça que o pai gostava de jogar com ele: no caprichoso desenho de um bosque onde estava o caçador escondido, tinha que achá-lo depressa para não perder a partida, Vamos, filho, procura nas nuvens, na árvore, ele não está enfolhado naquele ramo? No chão, veja no chão, não forma um boné a curva ali do regato?

Está na escada, ele respondeu. Esse caçador familiarmente singular que viria por detrás, na direção do banco de pedra onde ia se sentar. Logo ali adiante tinha um banco. Para não me surpreender desprevenido (detestava surpresas) discretamente ele daria algum sinal antes de pousar a mão no meu ombro. Então eu me voltaria para ver. Estacou. A revelação o fez cambalear numa vertigem, agora sabia. Fechou os olhos e se encolheu quase tocando os joelhos no chão. O sinal seria como uma folha tombando em seu ombro, mas se olhasse para trás, se atendesse o chamado. Foi endireitando o corpo. Passou as mãos nos cabelos. Sentiu-se observado pelo jardim, julgado até pela roseira de rosas miúdas numa expressão reticente logo adiante. Envergonhou-se. Meu Deus, murmurou num tom de quem pede desculpas por ter entrado em pânico assim com essa facilidade, meu Deus, que papel miserável, e se for um amigo? Simplesmente um amigo? Começou a assobiar e as primeiras notas da melodia o transportaram ao menino antigo com sua roupa de Senhor dos Passos na procissão de Sexta-Feira Santa. O Cristo cresceu no esquife de vidro, oscilando suspenso sobre as cabeças, Me levanta, mãe, quero ver! Mas Ele continuava alto demais, tanto na procissão como depois, lá na igreja, deposto no estrado de panos roxos, fora do esquife para o beija-mão. O remorso velando as caras. O medo atrofiando a marcha dos pés tímidos atrás do Filho de Deus, o que mais nos espera, se até com Ele... A vontade de que o pesadelo acabasse logo e amanhecesse sábado, ressuscitar na Aleluia do sábado! Mas a hora ainda era a da música da banda de batas pretas. Das tochas. Dos turíbulos atirados para os lados, vupt! vupt!, até o extremo das correntes. Falta muito, mãe? A vontade de evasão de tudo quanto era grave e profundo certamente vinha dessa noite: os planos de fuga na primeira esquina, desvencilhar-se da coroa de falsos espinhos, da capa vermelha, fugir do morto tão divino, mas morto! A procissão seguia por ruas determinadas, era fácil se desviar dela, descobriu mais tarde. O que continuava difícil era fugir de si mesmo. No fundo secreto, fonte de ansiedade, era sempre noite — os espinhos verdadeiros lhe espetando a carne, ô! por que não amanhece? Quero amanhecer!

Sentou-se no banco verde de musgo, tudo em redor mais quieto e mais úmido agora que chegara ao âmago do jardim. Correu as pontas dos dedos no musgo e achou-o sensível como se lhe brotasse da própria boca. Examinou as unhas. E abaixou-se para tirar a teia de aranha que se colara despedaçada à bainha da calça: o trapezista da malha branca (foi na estreia do circo?) despencou do trapézio lá em cima, varou a rede e se estatelou no picadeiro. A tia tapou-lhe depressa os olhos, Não olhe, querido!, mas por entre os dedos enluvados viu o corpo se debater sob a rede que foi arrastada na queda. As contorções se espaçaram até à imobilidade, só a perna de inseto vibrando ainda. Quando a tia o carregou para fora do circo, o pé em ponta escapava pela rede estraçalhada num último estremecimento. Olhou para o próprio pé adormecido, tentou movê-lo. Mas a dormência já subia até o joelho. Solidário, o braço esquerdo adormeceu em seguida, um pobre braço de chumbo, pensou enternecido com a lembrança de quando aprendera que alquimia era transformar metais vis em ouro, o chumbo era vil? Com a mão direita, recolheu o braço que pendia, avulso. Bondosamente colocou-o sobre os joelhos: já não podia fugir. E fugir para onde, se tudo naquele jardim parecia dar na escada? Por ela viria o caçador de boné, sereno habitante de um jardim eterno, só ele mortal. A exceção. E se cheguei até aqui é porque vou morrer. Já?, horrorizou-se olhando para os lados mas evitando olhar para trás. A vertigem o fez fechar de novo os olhos. Equilibrou-se tentando se agarrar ao banco, Não quero!, gritou. Agora não, meu Deus, espera um pouco, ainda não estou preparado! Calou-se, ouvindo os passos que desciam tranquilamente a escada. Mais tênue que a brisa, um sopro pareceu reavivar a alameda. Agora está nas minhas costas, ele pensou, e sentiu o braço se estender na direção do seu ombro. Sentiu a mão ir baixando numa crispação de quem (familiar e contudo cerimonioso) dá um sinal, Sou eu. O toque manso. Preciso acordar, ordenou se contraindo inteiro, isso é apenas um sonho! Preciso acordar!, acordar. Acordar, ficou repetindo e abriu os olhos.

Demorou um pouco para reconhecer o travesseiro que apertava contra o peito. Limpou a baba morna que lhe escorria pelo queixo e puxou o cobertor até os ombros. Que sonho!, murmurou abrindo e fechando a mão esquerda, formigante, pesada. Estendeu a perna e quando a mulher abriu a janela perguntou se tinha dormido bem, quis contar-lhe o sonho do jardim com a Morte vindo por detrás: sonhei que ia morrer. Mas ela podia gracejar, a novidade não seria sonhar o contrário?

Virou-se para a parede. Não queria nenhum tipo de resposta do gênero bem-humorado, como era irritante quando ela exibia seu bom humor. Gostava de se divertir à custa dos outros, mas se encrespava quando se divertiam à sua custa. Massageou o braço dolorido e deu uma vaga resposta quando ela lhe perguntou que gravata queria usar, estava um dia lindo. Era dia ou noite no jardim? Tantas vezes pensara na morte dos outros, entrara mesmo na intimidade de algumas dessas mortes e jamais imaginara que pudesse lhe acontecer o mesmo, jamais. Um dia, quem sabe? Um dia tão longe, mas tão longe que a vista não alcançava essa lonjura, ele próprio se perdendo na poeira de uma velhice remota, diluído no esquecimento. No nada. E agora, nem cinquenta anos. Examinou o braço, os dedos. Levantou-se molemente, vestiu o chambre, não era estranho? Isso de não ter pensado em fugir do jardim. Voltou-se para a janela e estendeu a mão para o sol. Pensei, é claro, mas a perna desatarraxada e o braço advertindo que não podia escapar porque todos os caminhos iam dar na escada, que não havia nada a fazer senão ficar ali no banco, esperando o chamado que viria por detrás, de uma delicadeza implacável. E então?, perguntou-lhe a mulher. Assustou-se. Então o quê?! Ela passava creme na cara, fiscalizando-o através do espelho, mas ele não ia fazer sua ginástica? Hoje não, disse massageando de leve a nuca, chega de ginástica. Chega também de banho?, ela perguntou enquanto dava tapinhas no queixo. Ele calçou os chinelos: se não estivesse tão cansado, poderia odiá-la. E como desafina! (agora ela cantarolava), nunca teve bom ouvido, a voz até que é agradável, mas se não tem bom ouvido... Parou no meio do quarto: o inseto saindo do ouvido da estátua não seria um sinal? Só o inseto se movimentando no jardim parado. O inseto e a morte. Apanhou o maço de cigarro, mas deixou-o, hoje fumaria menos. Abriu os braços: esse dolorimento na gaiola do peito era real ou memória do sonho?

 Tive um sonho, ele disse passando por detrás da mulher e tocando-lhe o ombro. Ela afetou curiosidade no leve arquear das sobrancelhas, Um sonho? E recomeçou a espalhar o creme em torno dos olhos, preocupada demais com a própria beleza para pensar em qualquer coisa que não tivesse relação com essa beleza. Que já está perdendo o viço, ele resmungou ao entrar no banheiro. Examinou-se no espelho: estava mais magro ou essa imagem era apenas um eco multiplicador do jardim?

 Cumpriu a rotina da manhã com uma curiosidade comovida, atento aos menores gestos que sempre repetiu automaticamente e que agora analisava, fragmentando-os em câmara lenta, como se fosse a primeira vez que abria uma torneira. Podia também ser a última. Fechou-a, mas que sentimento era esse? Despedia-se e estava chegando. Ligou o aparelho de barbear, examinou-o através do espelho e num movimento caricioso aproximou-o da face: não sabia que amava assim a vida. Essa vida da qual falava com tamanho sarcasmo, com tamanho desprezo. Acho que ainda não estou preparado, foi o que tentei dizer. Não estou preparado. Seria uma morte repentina, coisa do coração — mas não é o que eu detesto? O imprevisto, a mudança dos planos. Enxugou-se com indulgente ironia: era exatamente isso o que todos diziam. Os que iam morrer. E nunca pensaram sequer em se preparar, até o avô velhíssimo, quase cem anos e alarmado com a chegada do padre, Mas está na hora? Já?

Tomou o café em goles miúdos, como era gostoso o primeiro café. A manteiga se derretendo no pão aquecido. O perfume das maçãs de mistura com outro perfume, vindo de onde? Jasmins? Os pequeninos prazeres. Baixou o olhar para a mesa posta: os pequenos objetos. Ao entregar-lhe o jornal, a mulher lembrou que tinham dois compromissos para a noite, um coquetel e um jantar, E se emendássemos?, ela sugeriu. Sim, emendar, ele disse. Mas não era o que faziam ano após ano, sem interrupção? O brilhante fio mundano era desenrolado infinitamente, Sim, emendaremos, repetiu. E afastou o jornal: mais importante do que todos os jornais do mundo era agora o raio de sol trespassando as uvas do prato. Colheu um bago cor de mel e pensou que se houvesse uma abelha no jardim do sonho, ao menos uma abelha, podia ter esperança. Olhou para a mulher que passava geleia de laranja na torrada, uma gota amarelo-ouro escorrendo-lhe pelo dedo e ela rindo e lambendo o dedo, mas há quanto tempo tinha acabado o amor? Ficara esse jogo. Essa acomodada representação já em decadência por desfastio, preguiça. Estendeu a mão para acariciar-lhe a cabeça, Que pena, disse. Ela voltou-se, Pena por quê? Ele demorou o olhar em seus cabelos encaracolados como os da estátua: Uma pena aquele inseto, disse. E a perna ficar metálica na metamorfose final. Não se importe, estou delirando. Serviu-se de mais café. Mas estremeceu quando ela lhe perguntou se por acaso não estava atrasado. Hoje entraria mais tarde, queria fumar um último cigarro. Teria dito *último*? Beijou o filho de uniforme azul, entretido em arrumar a pasta do colégio, exatamente como fizera na véspera. Como se não soubesse que naquela manhã (ou noite?) o pai quase olhara a morte nos olhos. Mais um pouco e dou de cara com ela, segredou ao menino que não ouviu, conversava com o copeiro. Se não acordo antes, disse num tom forte, e a mulher se debruçou na janela para avisar ao motorista que tirasse o carro. Vestiu o paletó: podia dizer o que quisesse, ninguém se interessava. E por acaso eu me interesso pelo que dizem ou fazem? Afagou o cachorro que veio saudá-lo com uma alegria tão cheia de saudade que se comoveu, não era extraordinário? A mulher, o filho, os empregados — todos continuavam impermeáveis, só o cachorro sentia o perigo com seu faro visionário. Acendeu o cigarro, atento à chama do palito queimando até o fim. Vagamente, de algum cômodo da casa, veio a voz do locutor de rádio na previsão do tempo. Quando se levantou, a mulher e o filho já tinham saído. Ficou olhando o café esfriando no fundo da xícara. O beijo que lhe deram foi tão automático que nem sequer se lembrava agora de ter sido beijado.

Telefone para o senhor, o copeiro veio avisar. Encarou-o: há mais de três anos aquele homem trabalhava ali ao lado e quase nada sabia sobre ele. Baixou a cabeça e fez um gesto de quem se recusa e se desculpa. Tanta pressa nas relações dentro de casa. Lá fora, um empresário de sucesso casado com uma mulher na moda. A outra fora igualmente ambiciosa, mas não tinha charme e era preciso charme para investir nas festas, nas roupas. Investir no corpo, A gente tem que se preparar como se todos os dias tivesse um encontro de amor, ela repetiu mais de uma vez. Olha aí, não me distraio, nenhum sinal de barriga! A distração era de outro gênero. O doce distraimento de quem tem a vida pela frente, mas não tenho? Deixou cair o cigarro dentro da xícara: agora, não mais. O sonho do jardim interrompera o fluxo da sua vida num corte. O incrível sonho fluindo tão natural, apesar da escada com seus degraus esburacados de tão gastos. Apesar dos passos do caçador embutido, pisando na areia da malícia fina até o toque no ombro.

Entrou no carro, ligou o contato. O pé esquerdo resvalou para o lado, recusando-se a obedecer. Repetiu o comando com mais energia e o pé resistindo. Tentou mais vezes. Não perder a calma, não se afobar, foi repetindo enquanto desligava a chave. Fechou o vidro. O silêncio. A quietude. De onde vinha esse perfume de ervas úmidas? Descansou no assento as mãos desinteressadas. A paisagem foi se aproximando numa aura de cobre velho, estava clareando ou escurecia? Levantou a cabeça para o céu esverdinhado, com a lua de calva exposta, coroada de folhas. Vacilou na alameda bordejada pela folhagem escura, Mas o que é isso, estou no jardim? De novo? E agora, acordado, espantou-se, examinando a gravata que ela escolhera para esse dia. Tocou na figueira, sim, outra vez a figueira. Enveredou pela alameda: um pouco mais e chegaria ao tanque seco. A moça dos pés cariados ainda estava em suspenso, sem se decidir, com medo de molhar os pés. Como ele mesmo, tanto cuidado em não se comprometer nunca, em não assumir a não ser as superfícies. Uma vela para Deus, outra para o Diabo. Sorriu das próprias mãos abertas, se oferecendo. Passei a vida assim, pensou, mergulhando-as nos bolsos num desesperado impulso de aprofundamento. Afastou-se antes que o inseto fofo irrompesse de novo de dentro da pequenina orelha, não era absurdo? Isso da realidade imitar o sonho num jogo onde a memória se sujeitava ao planificado. Planificado por quem? Assobiou e o Cristo da procissão foi se esboçando no esquife indevassável, tão alto. A mãe enrolou-o depressa no xale, a roupa do Senhor dos Passos era leve e tinha esfriado, Está com frio, filho? Tudo agora se passava mais rápido ou era apenas impressão? A marcha funeral se precipitou em meio das tochas e correntes, soprando fumaça e brasa. E se eu tivesse mais uma chance?, gritou. Tarde, porque o Cristo já ia longe.

O banco no centro do jardim. Afastou a teia despedaçada e entre os dedos musgosos como o banco vislumbrou o corpo do antigo trapezista enredado nos fios da rede, só a perna viva. Fez-lhe um afago e a perna não reagiu. Sentiu o braço tombar, metálico, como era a alquimia? Se não fosse o chumbo derretido que agora lhe atingia o peito, sairia rodopiando pela alameda, Descobri! Descobri. A alegria era quase insuportável: da primeira vez, escapei acordando. Agora vou escapar dormindo. Não era simples? Recostou a cabeça no espaldar do banco, mas não era sutil? Enganar assim essa morte saindo pela porta do sono. Preciso dormir, murmurou fechando os olhos. Por entre a sonolência verde-cinza, viu que retomava o sonho no ponto exato em que fora interrompido. A escada. Os passos. Sentiu o ombro tocado de leve. Voltou-se.

BIOGRAFIA

Contista e romancista, Lygia Fagundes Telles nasceu em São Paulo, mas passou a infância em pequenas cidades no interior do Estado, onde o pai, o advogado Durval de Azevedo Fagundes, foi delegado e promotor público. A mãe, Maria do Rosário (Zazita), era pianista. Algumas das cidades percorridas: Sertãozinho, Areias, Assis, Apiaí e Descalvado.

Voltando a residir com a família em São Paulo, formou-se em Direito (Faculdade do Largo de São Francisco) e cursou ainda a Escola Superior de Educação Física da mesma Universidade. Foi casada com o jurista e ensaísta Goffredo Telles Júnior. Divorciada, casou-se com o crítico de cinema e fundador da Cinemateca Brasileira, Paulo Emílio Salles Gomes. Tem um filho, Goffredo Telles Neto, cineasta.

Lygia Fagundes Telles começou a escrever muito cedo, o que a levou a considerar seus primeiros livros "muito imaturos e precipitados". Segundo o crítico literário Antonio Candido, o romance *Ciranda de Pedra* (1954) seria o marco da sua maturidade intelectual. Concordando com esse critério, a autora considera a sua obra a partir dessa data.

Participante e testemunha desse tempo e desta sociedade, a escritora classifica sua obra como de natureza engajada, ou seja, comprometida com a condição humana nas suas desigualdades sociais.

Recebeu diversos prêmios literários, dentre os quais, Prêmio do Instituto Nacional do Livro, 1958; Prêmio Guimarães Rosa, 1972; Prêmio Coelho Neto, da Academia Brasileira de Letras, 1973; Prêmio Jabuti, da Câmara Brasileira do Livro, 1980; e Prêmio Pedro Nava, o Melhor Livro do Ano, 1989. A coletânea de contos *A Noite Escura e mais Eu*, 1996, recebeu três importantes prêmios literários: Melhor Livro de Contos, Prêmio da Biblioteca Nacional, Rio de Janeiro; Prêmio Jabuti, da Câmara Brasileira do Livro, São Paulo; e Prêmio Aplub de Literatura, Porto Alegre.

Lygia Fagundes Telles tem participado de feiras de livros e congressos realizados não só no Brasil, mas também em Portugal, Alemanha, Espanha, França, Itália, República Tcheca, Suécia, Canadá, Estados Unidos e México, países nos quais foram publicados seus contos e romances.

Condecorações: Ordem do Rio Branco (Brasil); Infante Dom Henrique (Portugal); *Ordre des Arts et des Lettres-Chevalier* (França); e *Orden Al Mérito Docente y Cultural Gabriela Mistral – Gran Oficial* (Chile).

A escritora pertence à Academia Paulista de Letras e à Academia Brasileira de Letras. É membro do Pen Club do Brasil.

Bibliografia básica: *Ciranda de pedra*, romance, 1954; *Verão no aquário*, romance, 1963; *Antes do baile verde*, contos, 1972; *As meninas*, romance, 1973; *Seminário dos ratos*, contos, 1977; *A disciplina do amor*, fragmentos, 1980; *Mistérios*, contos, 1981; *Melhores contos de Lygia Fagundes Telles*, Seleção e prefácio de Eduardo Portella, 1984; *Venha ver o pôr do sol*, contos, 1987; *As horas nuas*, romance, 1989; *A estrutura da bolha de sabão*, contos, 1991; *Capitu*, Roteiro cinematográfico do romance *Dom Casmurro* de Machado de Assis (em parceria com Paulo Emílio Salles Gomes), 1993; *Oito contos de amor*, 1997; *A noite escura e mais eu*, contos, 1996; *Pomba enamorada e outros contos*, Seleção e prefácio de Lea Masina, 1999; *Invenção e memória*, contos, 2000; *Durante aquele estranho chá*, textos, organização de Suênio de Lucena, 2002.

Suas obras principais estão sendo reeditadas pela Companhia das Letras.

"Antes de mais nada, Lygia Fagundes Telles soube ultrapassar o círculo de giz autobiográfico em que giram desesperadamente tantos contistas modernos. Ela possui, pois, a primeira qualidade do ficcionista, a de saber colocar-se na pele dos outros. Essa é mais uma ambiguidade do conto que ela assume com a mesma autoridade de Machado de Assis ou Joaquim Paço d'Arcos."

Wilson Martins

"Essas pequenas obras-primas de tão fremente inquietação íntima e que exalam um desespero tão profundo ganham a clássica serenidade das formas de arte definitivas."

Paulo Rónai

"As situações são criadas com mão segura, que evita o patético e o melodramático. Mas, além das circunstâncias literárias, vai atingir ainda um vasto território de magia, pois sua faculdade mitopeica se apoia numa imaginação cintilante."

Fábio Lucas

"Eis um livro de contos excepcional em nossa literatura, comparável aos melhores destes últimos anos."

Sérgio Milliet

"Em matéria de estilo, o livro de Lygia Fagundes Telles é exemplar: economia de meio e expressividade se amalgamam surpreendentemente."

José Paulo Paes

"Uma excelente prova de que a literatura brasileira tem momentos comparáveis aos da melhor literatura mundial."

Gilberto Mansur

"Neste belo e pungente livro, dos maiores da literatura brasileira, Lygia Fagundes Telles ensina mais uma vez que ficção se faz com gente. Gente é o material da ficção."

Hélio Pólvora

"Um dos nomes mais importantes da ficção brasileira, já foi chamada a primeira-dama da nossa literatura. Sua obra merece a melhor atenção da crítica e o aplauso do grande público. O leitor encontra nela uma atmosfera peculiar, figuras de perfil bem nítido, um largo espectro de temas e enredos. Com o maior rigor formal, da linguagem à estrutura da narrativa."

Ricardo Ramos